サウスバウンド　上

奥田英朗

角川文庫 14804

第一部

1

中野ブロードウェイは上原二郎《うえはらじろう》の通学路だ。

四階建てのビルに、おもちゃ屋や古本屋、ゲームセンターや和洋中の食堂が雑多に詰まっている。そのほとんどが小さな個人商店で、一年中が縁日のようなにぎやかさだ。

担任の南《みなみ》先生は、「学校で決められた通学路を歩くように」とことあるごとに言うが、高学年の男子はほとんど守っていない。中野サンプラザを見上げるのは田舎からの転校生だけだ。二郎も、五年生以降はずっとブロードウェイを通り抜けるのが下校時の習わしだ。

エスカレーターで三階に上がり、まずは漫画専門の古本屋に向かう。通路に面して百円均一の棚がいくつも並んでいて、立ち読みを注意されることはない。店の中はオタクだらけで、なぜか酸っぱい臭いが充満している。通路なら空気の通りもいいし、床にしゃがみ込んでもさして邪魔にならない。

リュックを床に置き、足の間にはさんだ。もうランドセルは卒業した。クラスの大半がトートバッグかリュックを使っている。

棚を見上げ、中から『あしたのジョー』を探す。昔の漫画だが、一巻から読み始めて病みつきになった。昭和時代の東京が舞台で、みんながやたら旨《うま》そうに御飯を食べるのが印象的だ。こっちまで白い御飯を腹一杯食べたくなる。

「おい二郎、七巻発見」

淳《じゅん》が棚に手を伸ばしながら言った。楠田《くすだ》淳はいつも一緒に帰るクラスメートだ。家がクリーニング屋で、「将来なりたい職業」という作文で「クリーニング屋」と書いた十一歳だ。すでにアソコの毛が生え揃った向井《むかい》に言わせると、「そりゃ親の刷り込み」なのだそうだ。

「こっちは九巻発見」二郎が答える。

「じゃあ八巻があるといいな」

百円均一の棚は、売れ残りを並べるせいかでたらめな品揃えだ。これまでも順番どおりには読んでいない。ジョーと力石《りきいし》が出会う巻は、ずっと飛ばしたままだ。

空いている場所を探し、腰を下ろした。たちまち漫画に集中する。三輪トラック、下駄を履いた女の子、見慣れないものが次々と出てくる。昭和時代はなかなか面白そうだ。

ときおり、ほかの立ち読み客が二郎の背中にぶつかっていく。通路に座っているこっちも悪いが、オタクたちは「ごめん」とも言わない。高校生には見えないから、きっともう大人だ。みんなリュックを背負い、無表情で漫画を物色している。

「上原君と楠田君。いけないんだー、寄り道しちゃ」

その声に振り返ると、同じクラスのサッサとハッセがいた。

「うるせえ。あっち行ってろ」二郎が手で追い払う。

「南先生に言おうかなー」サッサこと佐々木《ささき》かおりが顎《あご》を突き出し、憎々しげに言った。

「上原君たちが通学路を守ってませんって」

「おまえらだって、ここ、歩いてんじゃん」

「わたしたちは一度家に帰りました。これからサンプラザの水泳教室に行くんです」今度はハッセこと長谷川《はせがわ》紀子《のりこ》が、スポーツバッグを目の前で振る。

六年生になって、やけに女子がからんでくるようになった。二、三人で寄ってきて、体をくねらせては、男子のやることに口をはさむのだ。

「先生に言ったら、おまえらの明日の給食、ナフタリン入れてやるからな」

淳が甲高い声を発する。女子たちは鼻に皺《しわ》を寄せると、「バーカ」「テーノー」と口々に罵《のの》り、走り去っていった。

再び漫画の世界に戻る。淳と本を交換して、力石が減量でやせ細っていく巻を読んだ。実を言うとその先を知っている。淳が「おとうさんに聞いた」と結末をばらしたからだ。漫画で主人公のライバルが死んでもいいのだろうか。二郎は半信半疑でいる。

一時間ほどいてその場を離れた。あとは明日のお楽しみだ。漫画も読み切れない量となると、案外けじめがつくものだ。

おもちゃ屋で中古のゲームソフトをチェックし、スポーツ用品店で欲しいサッカーシューズを眺めた。中野ブロードウェイで退屈する小学生はいない。

階段に向かう途中、ゲームセンター前で知った顔に会った。六年四組の黒木《くろき》だ。髪を染めた中学生たちと一緒にいる。黒木は、親の敵《かたき》のような目で二郎を睨《にら》みつけると、さも親しそうに中学生たちと話し始めた。自分が中学生と仲がいいことをアピールしたがっているように見えた。けたたましい電子音と光が、黒木たちを包み込んでいる。

「柄悪いな、黒木のやつ」階段を降りながら、淳が吐き捨てるように言った。「ときどき下級生から金巻き上げてんだってよ」

「ふうん」二郎は曖昧《あいまい》に返事した。

黒木は三、四年と一緒のクラスだった。親が離婚して、母親と二人でアパート暮らしをしていた。一度だけ遊びに行ったことがある。やけに厚化粧のおばさんが出てきて愛想を振りまいていた。母親がホステスらしいことは小学生にもわかった。

建物の外に出て、路地裏を歩いた。軽自動車すら入れない文字どおりの路地で、全体に湿った感じがする。道端のコンクリートに苔《こけ》が生えていたりするから、きっと何年も陽が当たっていないのだ。

路地の一角の、一年中「本日特売日」の赤いのぼりが立つ肉屋でコロッケを買った。週に二度はそうしている。

「はい、一個八十万円」

ゴマ塩頭に鉢巻姿のおじさんは、買い始めてからずっと同じギャグを言う。立ち食いを知っているから、紙でくるむだけだ。

「ぼくたち、ソースはかけるな。ソースをかけるのは田舎者だ」

これも毎度の台詞《せりふ》。そのわりには、レジの横にソースが用意されていたりする。「うめえ、うめえ」淳とかぶりつくと、ジャガ芋と玉ネギの甘さが口の中に広がった。

二人で連発する。肉屋のおじさんの顔が皺だらけになった。

脇を自転車が駆け抜けていく。同じクラスの間宮《まみや》だった。あだ名はリンゾウだ。

「おーい、リンゾウ。塾か」二郎が声を張りあげる。

「おう」一瞬だけ振り返り、リンゾウが答えた。真新しいマウンテンバイクは停まることなく路地を進んでいった。

六年生になり、私立中学の受験組は揃って学習塾に通いだした。クラスに十人ほどいる。リンゾウはその筆頭だ。家が医者だからプレッシャーがきついらしい。

「ぼくたちは塾、行かないのかい？」と肉屋のおじさん。

「行かないよ」二郎が答える。

「おれも。うちはクリーニング屋だから」悪びれるふうでもなく淳が言った。

「そうか、そうか」おじさんがうれしそうにうなずいている。

油のついた指をジーンズで拭《ふ》いた。そろそろ丈が短くなっている。シャツもきちきちだ。四月に身長を測ったら百五十八センチあった。母親は「あと一年でおかあさんを抜くね」と眩《まぶ》しそうに二郎を見る。チビの淳とは、でこぼこコンビだ。

再び路地を歩いた。飲み屋が開店の準備を始め、あちこちから焼き鳥のいい匂いが漂ってくる。二人で漫画の話をした。

「クロスカウンターって、手が短かったらだめなんじゃねえのか」

淳がもっともな疑問を口にする。

「『あしたのジョー』の原作者って、『巨人の星』の原作者と同一人物なんだって。おとうさんに聞いた」

「なんだよ、『巨人の星』って」

「おれも知らねえけど、有名な漫画らしいぞ」

商店街の外れにある「楠田クリーニング」の前で淳と別れた。窓越しにランニングシャツ姿のおじさんが見える。汗だくになってアイロンをかけていた。

十年後には、淳も同じことをするのだろう。十年先なんて、気が遠くなるような未来だけれど。

角を曲がり、路地を抜け出す。そろそろ人通りがまばらになり、駅前の騒々しさが薄れてくる。ただし線路沿いだから、電車の音と振動はかなりある。古びたマンションが見えた。その一階で母が喫茶店をやっている。店名は「アガルタ」。一度意味を聞かされたが、むずかしい話なので忘れた。

ドアを開けると、木製の扉に付けられたベルが鳴った。

「ただいまー」客がいるので遠慮がちに声を出す。

「おかえり」カウンターから母が笑顔をのぞかせた。

母の名前はさくら。今年四十二歳になる。いつも髪をうしろで束ねていて、あまり化粧をしない。淳の家のおばさんから「二郎君のおかあさん、若く見えるね」と言われ、それを伝えたら一日機嫌がよかった。

普段着は姉と共有している。だからへその見えそうなTシャツを着ていたりする。今日はアロハシャツだ。

カウンターの中に入り、冷蔵庫から牛乳を取り出して飲んだ。コーラや缶コーヒーは上原家では禁止されている。小さい頃、「あれはアメリカの陰謀で毒だ」と父から教えられた。

「おにいちゃん、算数教えて」

カウンター席の端っこに桃子《ももこ》がいた。小学四年生の妹で、学校帰りはいつもここで宿題をしている。

「自分でやれよ」もちろん断った。桃子は呑《の》み込みが悪いのでいらいらする。

「けち」桃子が低く言い、口をとがらせた。

「けちはそっち。ただで家庭教師は雇えないの」ささやき声で言い返す。店で兄妹喧嘩《きょうだいげんか》をするとすぐに追い出されるので、小声が癖になった。

遠くで学校のチャイムが鳴った。下町の空に響き、店内にまで入ってくる。午後五時の知らせだ。

「二郎、桃子。そろそろ家に帰りなさい」母が言った。

家はすぐ裏手の一軒家だ。古い木造二階建てで、家賃が十万円だと姉から聞いたことがある。

母に鍋《なべ》を手渡された。匂いから魚の煮付けだとわかった。これを温めて晩御飯のおかずにするのだ。桃子が渡されたタッパーウエアにはポテトサラダが入っていた。母は暇な時間に家族の夕食を作っている。母が夕食を食べるのは店を閉めた八時過ぎだ。

店を出て、裏に回った。電線にとまったカラスが呑気《のんき》に鳴いていた。五月になってすっかり日が長くなり、西の空はまだ夕焼けの準備もできていない。

家の前まで行くと、知らないおばさんが立っていた。黒い鞄《かばん》をぶら下げている。何度か門の呼び鈴を押していた。

二郎たちの気配に気づき、振り向いた。「君たち、ここの家の子？」顔をのぞき込んで言った。

二郎が黙ってうなずく。おばさんは白粉《おしろい》を塗りたくった顔で微笑んでいた。

「じゃあ、上原一郎《いちろう》さんっていう人はおとうさんになるんだ」

「あ、はい」一応返事した。

父の名前は一郎。長男である自分の名前が二郎。誰が聞いても「変わってる」と言う。

「おとうさん、呼んでくれない？　おばさん、さっきから呼び鈴を鳴らして、名乗ってるんだけど、全然出てきてくれないの。電気がついてるし、物音も聞こえたから、きっとおとうさん中にいると思うの」

二郎は鍋を胸に抱え、玄関の引き戸を開けた。桃子もあとに続く。

「前にも別の人が来てるから、用件はわかってると思う」背中に明るい声が降りかかった。

「おばさん、社会保険庁から年金のことで来たの」

家に上がり、廊下を歩いた。奥の台所へ行くと、父がテーブルで夕刊を広げていた。太い眉毛《まゆげ》と、ギョロ目、赤味がかった天然パーマの髪。一度見たら忘れないというのが、多くの人の感想だ。

「おとうさん、お客さん」二郎が言う。鍋はコンロに置いた。

「あれは客じゃない。押し売りだ」鼻をほじっている。

「社会保険庁から来たって」

「じゃあ社会保険庁から来た押し売りだ」

そう言って椅子の上で胡坐《あぐら》をかく。新聞の上に肘《ひじ》をつき、今度は鼻毛を抜きだした。

「おとうさんは旅に出ました。どこか南の島です。海べりの丘に家を建て、畑を耕し、収穫の季節になる頃、ぼくたち家族を迎えにくると言ってました」作文を朗読するように言葉を連ねる。「外のババアにそう言ってこい」

「上原さーん」おばさんの大きな声が台所に届いた。玄関の三和土《たたき》まで上がってきたようだ。

「なんだ。うるさい女だな」父の声も大きい。まるで聞こえよがしだ。「二郎。早く追い返せ。おとうさんはいません。敷地から出ないと不法侵入で訴えますよって」

「聞こえてますよー。いらっしゃるんでしょー」

「おとうさん、出てよ」

二郎が訴えた。住宅密集地だから、このやりとりは近所に筒抜けだ。

「体制に雇われたイヌなどと話す用意はない。おれは官が虫より嫌いなんだ」父はますます大声になった。「租税のおこぼれで生きていこうなんて根性が気にいらん。やつらはな、もっとも性質《たち》の悪い搾取する側なんだ」

〝カン〟と〝サクシュ〟。二郎は小一の頃からこの言葉を知っている。

「おい、桃子。二階へ行ってろ」二郎は妹の背中を押した。父のこめかみが赤くなり、噴火の兆候が出たからだ。

「算数、教えてくれる?」か細い声で言う。

「わかった。あとで解いてやる」

廊下を走り、玄関に行った。おばさんは、靴箱の上に貼られたチェ・ゲバラのポスターをむずかしい顔で眺めていた。ゲバラがどういう人か二郎は知らない。名前を教えられただけだ。「用ってなんですか」おばさんに聞く。

「ぼくじゃわからない。おとうさんと話がしたいの」学校の先生のような、毅然《きぜん》とした態度だった。「前に来たおじさんたちは、言い負かされて帰ってきたけど、おばさんは、簡単には帰らないの。ちゃんと話がしたいの」

いったいなんのことだか、二郎にはまるでわからない。

「ここの家の主《あるじ》は死にましたー。香典くださーい」奥から父の大声が響いた。

「ふざけないでください。お子さんの前で、恥ずかしくないんですか」

「なんだと」

怒声がした。ドンドンという足音と共に、父が姿を現した。天井が急に低くなる。身長百八十五センチの大男だ。肩をつかまれ、脇にどかされた。

胸の中で暗い気持ちがふくらむ。おばさんの肩越しに外を見ると、斜向《はすむ》かいの家のおばあさんが、通りに出てこちらの様子をうかがっていた。急いで三和土に降り、玄関の戸を閉めた。

「おい、なにをやってるんだ。おまえは体制側に与《くみ》する気か」父が顔を赤くしている。

「おとうさん、声が大きい」

手で制しようとしたら、その手を払いのけられた。

「とっとと帰れ。国民年金なんぞ、払わんと言ったら払わん」

「上原さん、国民の義務なんですよ」

一転、おばさんが柔らかな口調で言った。薄い笑みも浮かべている。

「どういう義務だ。展開してみろ」

「テンカイ?」

「論拠を示せということだ」

「ですから、法律で定められた――」

「なァにが法律だ。誰が決めた。おれは認めてないぞ。そもそも年金制度などパンク寸前だろう」

「そんなことはありません。時代に応じて、その都度軌道を修正しながら、ちゃんと存続していくものなんです。日本が政情不安定な国というならともかく、経済基盤の確立した、民主主義国家として運営されている以上、年金制度の破棄はありえません。いわば国のメンツの、もっとも深い部分なんです」

「ほお、メンツときたか」

父が目を見開き、よく透る声を響かせた。父の地声の大きさは尋常ではない。近所の猫が逃げ出すのだ。

「もしも破棄したら最大の背信行為です。だいいち、政府がそれを許さないでしょう」

「ふん。先月来た小役人とはちがうようだな。督促班のエースか」

「話をそらさないでください。わたしは年金の意義についてお話ししたいのです」おばさんが淀《よど》みなく言う。訓練を積んだしゃべりに思えた。「年金は、みんなでリタイアした人たちを支え合っていく、社会の基本的な互助システムなんです。上原さん、助け合いはお嫌いですか？」

「応酬法だな」

「はい？」

「嫌いですか？　間違ってますか？　許せないことですか？　否定形で質問して、ノーの答えを引き出し、ひとつひとつ退路を断っていく弁証法の一種だ。昔、社学共の連中がオルグで盛んに使っていたもんだ。やるじゃないか。歳からすると市ケ谷《いちがや》分派か」

おばさんが眉をひそめている。

「冗談に決まってるだろう。社学共が公務員なんかになるか、あっはっは」

おばさんは深呼吸をひとつした。

「とにかく、上原さんだって、いつかはお歳を召されると思うんですの。アリとキリギリスの喩《たと》えではありませんが、蓄えのない老後というのはなにかと心細いものです。老後の蓄えと考えてはいかがでしょう」

「余計なお世話。自己責任でいいんだ、そんなものは」

「そうはおっしゃいますけどね、おなかを空《す》かしている人を、国が見殺しにできますか？結局のところは手を差し伸べなければならないんですよ」

「なんという傲慢《ごうまん》。いったい誰が頼んだ、救ってくれなどと」

「人道というものが国の求心力なんです」

「しゃれたことを。アメリカの覇権主義と一緒だ。人道という名のもとに支配層の価値観を世界に植えつけようとしている」

「話を飛躍させないでください」

「のたれ死ぬ自由も奪おうというのか、国は」父の口からつばきが飛んだ。

「上原さんは、のたれ死にたいとおっしゃるんですか？」

「ああ、のたれ死にたいねえ。新宿中央公園で、朝冷たくなっているなんてのは最高だ」

「死体は誰が片づけるんですか。あなたが虫より嫌っている役人でしょう。一人の勝手な行いのために税金が投入されるんですのよ」

「それが余計なお世話なんだ。死体などカラスがついばめばいい」

「そんな無茶な。だったら町中は死体だらけでしょう。とにかく」おばさんが鞄《かばん》から紙切れを取り出した。「納付書を置いていきます。上原さんは四十歳を超えていますので、介護保険料も納めていただきます。払わない人がいると不公平が生じます。それが年金システムなのです」

「ふざけるな。だったらなぜ税金として徴収しない。あとから任意で納めさせること自体、おまえらが疚《やま》しい証拠なんだ」

「だから、任意じゃなくて義務なんです。国民の義務なんです」

「じゃあ国民やめた」父が、胸を反らせて言った。

「はい？」おばさんが首をひょいと前に出す。

「日本国民であることをやめる。もともと望んだものでもないしな」

「……どこか海外に移住なさるんですか」急に声のトーンが下がった。

「なぜ海外に行かなきゃならん。ここに住んだまま国民をやめるんだ」

おばさんは言葉が見つからない様子だ。眉間《みけん》に皺《しわ》を寄せ、動くのをやめている。

前の通りを、豆腐屋の自転車が、ラッパを鳴らしながら走り過ぎていった。なぜか夕方は音の響きがいい。

二郎はそっと玄関を離れた。この手の騒ぎは前にもあった。税務署の人を相手に、二時間も議論を戦わせたのだ。

「いったいどういう冗談ですか」おばさんが戸惑っている。

「冗談ではない。かねがね日本国民をやめたいと思っていた。今日がその日だ」

父の声は、きっと外にまで響き渡っていることだろう。

二郎は台所に戻り、炊飯器のスイッチを入れた。米は母が朝方研いでいる。続いて鍋《なべ》に水を入れ、コンロにかけた。味噌汁《みそしる》を作るためだ。

「上原さんは日本人……ですよね」

「そうだ。しかし、日本人イコール日本国民でなくてはならない理由などない」

うるさいので戸を閉めた。近所には迷惑な話だ。隣のおばさんに、二郎君のおとうさん、もう少し声を小さくしてくれるといいね、と言われたことがある。テレビの音声が聞きとりにくくなるのだそうだ。

カツオ節で出し汁をとり、大根を千切りにして入れた。味噌汁を作ると、一回につき百円、母がくれる。冷蔵庫を探したら、賞味期限の切れそうな豚肉があったので、細切れにしてほうり込んだ。

「だから国民をやめると言ってるだろう」

まだやっていた。父はどうやら国が嫌《たた》いらしい。ことあるごとに、学校など無理して行かなくてもいいからな、と二郎の肩を叩く。義務教育は国の押しつけであり、拒否する権利があるらしい。

担任の南先生に教えたら、おとうさん、冗談言ってるのよ、と顔をひきつらせていた。父の職業欄には「フリーライター」と書いてある。どういうお仕事をなさってるのかしら、と探りを入れられた。

二十一歳の姉は、もう働いていて、ほとんど家で晩御飯を食べない。だから四人分を作ればいい。父は、母が帰ってくるのを待つので、二郎は桃子と二人で晩御飯を食べる。最近は茶碗《ちゃわん》四杯が普通だ。三杯だと寝る頃またおなかが減ってくる。

「人を勝手に国民に仕立てて税をむしり取る。ならば人は生まれながらにして被支配層ということになるのか。冗談じゃない」

父はまだ吠《ほ》えていた。おばさんは存分に父のつばきを浴びていることだろう。冷たい麦茶でも差し入れてやろうか。もちろん冗談だ。

炊事はすっかり慣れた。煮物はまだだめだが、焼いたり揚げたりならお手のものだ。鍋の中で味噌を溶かしたら、いい匂いが台所に立ち込めてきた。

2

二郎にとって学校は楽しい遊び場だ。友だちに会えるし、体育が得意だから、みんなの前でいいところを見せられる。先日、走り高跳びで一メートル四十センチを跳んだときは、女子の視線を独り占めし、英雄気分に浸ったものだ。

「毎日毎日、ご苦労なことだな」父はそう言って無精髭《ぶしょうひげ》を撫《な》でている。

「一日おきでもいいんだぞ」とも言う。父は体育が苦手だったのだろうか。

担任が若い先生だというのも、友だちのようで、学校を楽しくさせている。南愛子《あいこ》先生は、大学を出て二年目の新任教師だ。去年は三回泣いた。クラスで飼っていたヒヨコが死ぬ。女子が泣く。それを見てもらい泣きする。そういう涙腺《るいせん》の持ち主だ。

茶目っ気もある。「今日は先生からみなさんにプレゼントがあります」と言って、宿題のプリントを配る。「えーっ」生徒が声をあげると、「そんなによろこんでくれて、先生うれしいわ」と大袈裟《おおげさ》に演技するのだ。独身で、彼氏いるんですかと女子が聞いたら、真っ赤になって首を横に振っていた。

「はい注目」これが南先生の口癖だ。パンパンと手も叩く。

「都合の悪い家は遠慮なく言ってね。調整をつけます。それから、おかあさんも仕事を持っている家は、希望する日時を二つ書いて提出してください。夜でも土日でも構いません。先生、いつでもうかがいます」

今日は家庭訪問の連絡だった。ホームルームのとき、「お知らせ」が個別に配られた。

「飲み物は出さなくていいから、家の人に言っておいてね。いちいち飲んでたら、おなかがタプタプになっちゃうし、トイレも近くなるから」

二郎が手渡された「お知らせ」を見る。「五月十五日午後四時頃」と書いてあった。

「先生はダイエット中だから、甘いものも出さないように。それからお見合い写真もね」

クラスがどっと沸いた。

掃除の時間になり、二郎は受け持ちの体育館裏へと行った。校庭の掃除など、月に一度のドブさらいを除けば、竹箒《たけぼうき》で遊んでいるだけだ。

男子同士で空き缶ホッケーをしていたら、同じ班のハッセに名前を呼ばれた。

「ねえ、ちょっと」手招きしている。横にはサッサが少し硬い表情で立っていた。

ホッケーを抜けてそばまで行った。

「今度の日曜日、サッサの誕生日なの。それで、サッサん家《ち》で誕生会をやるんだけど、上原君、来る気ある?」

招待にしてはやけに高飛車な物言いだ。「どっちでも」二郎はぶっきらぼうに答えた。

「じゃあ来てよ」とハッセ。

「うん……いいけど」

二郎が承諾すると、横にいたサッサがはにかんだ様子で白い歯を見せた。

「楠田君とか、向井君とかも、呼ぶから」

「尚美や貴子も」サッサが同じクラスの女子の名を挙げた。

「じゃあいいよ、行って」ハッセが手をひらひらさせる。

なんという無礼な態度——。でも胸がふくらんだ。女子から誕生会に誘われたのは、生まれて初めての経験だ。

下校のとき淳に告げると、淳もすでに誘われていて、「面倒臭ェな」と、あまり面倒臭そうでもない顔で言った。頬がだらしなく緩んでいたのだ。

「なんかプレゼントしねえとまずいだろうな」と二郎。

「金なんかねえぞ」淳が口をとがらせる。

「おれだってねえよ」

「ナフタリンの詰め合わせとか、だめかな」

二人で笑った。

淳と別れたあとは、いつものようにアガルタに寄り、母に家庭訪問の「お知らせ」を見せた。

「困った。お店、誰かに頼まなきゃ。桃子の担任の先生も同じ日に来るから」

母はそう言い、両手で頬を包んでいた。桃子はカウンターの端で、鉛筆を持つ手を止めている。二郎は黙って牛乳を飲んだ。

父に頼もうとは誰も言い出さなかった。店番も、先生の相手も。面倒なことになると、家族全員わかりきっているからだ。

「おかあさん、大丈夫？」桃子が不安そうに聞いた。

「うん、大丈夫よ。店番、探すから」

母の言葉に、二郎も胸を撫でおろした。母も慣れている。当日は父に用事を言いつけ、どこかへ追い払ってくれるだろう。

たの」

「ねえ、おかあさん」桃子が声を低くし、唐突に言った。「どうしておとうさんと結婚し

母が目を伏せて苦笑した。「もらってくれたから」

しばらく肩を揺すっていた。

桃子は納得がいかない様子で口をすぼめている。

二郎は男のせいか、その手の疑問が湧いたことはない。大人には大人の事情があるのだと、十一歳の領分を守っている。

サッサの誕生会にはベージュのコットンパンツを穿《は》いて行った。ジーンズはまずいでしょ。母がそう言って、中野ブロードウェイで買ってきてくれたのだ。紺のポロシャツの胸には馬に乗った人の刺繍《ししゅう》がついている。本物だってとぼけてればいいから、と気になることを母は言った。

プレゼントは淳と相談の上、キティちゃんの置物にした。淳は貯金箱で、二郎はペン立てだ。

早稲田《わせだ》通りを渡った静かな住宅街に、サッサの家はあった。まだ真新しい白壁の二階建てで、門の周りには花の植木鉢がいっぱい並べてある。隣で淳が喉《のど》をゴクリと鳴らすのがわかった。同じ中野区でも、二郎や淳が住む地域とは雰囲気がまるでちがっている。呼び鈴を押そうとしたら、「おい」と背中に声をかけられた。

振り返る。四組の黒木がそこにいた。落ち着きなく目をしばたたかせている。黒木は、普段とちがって小ぎれいな服装をしていた。髪にはムースをつけた形跡もある。黒木も誕生会に呼ばれたのだとわかった。

「佐々木が来てくれって言うからよォ」黒木は不機嫌そうに言った。

サッサと黒木は同じクラスになったことはないはずだ。

「なんでおまえが呼ばれんだよ」淳は遠慮のない質問をした。

「知るか。佐々木に聞け」黒木が険しい目で淳を睨《にら》む。

「やあ諸君。玄関先で何してる」家の中から、印鑑屋の向井が顔をのぞかせていた。「立ち話もなんだから、中に入りなさい」大人を真似た口ぶりに、横でサッサやハッセが笑っている。

おばさんに招かれて家の中に入った。十畳はありそうな応接間にみんなが集まっていた。男子が五人、女子も五人。一応人数合わせはしたようだ。男子には医者の息子、リンゾウもいた。二郎と同じマークの白いポロシャツを着ている。あれが本物か。色ちがいなのがせめてもの救いだ。

女子たちはおめかしをしていた。ハッセが髪にリボンを飾っている。初めて見る姿だった。

男子たちがプレゼントを手渡した。みんなキャラクター小物だった。黒木が差し出したのはスヌーピーの財布だ。こいつが選んだのかと思ったらおかしくなった。

おばさんが料理を運んできた。鶏肉《とりにく》の唐揚げやサンドウイッチがテーブルを飾った。

「みんな、たくさん食べてね」

「おばさん、上原君が本気にしますよ。馬鹿食いの二郎って言えば中央小学校では知らない者がないんですから」

向井がそう言ってみんなを笑わせる。向井が口達者なのは印鑑屋の店番をしているからだ。近所のばあさん連中が暇つぶしにやって来るので、その相手をしているうちに話術巧みな小学生になったのだ。落ち着き払った物腰は、どこか少年僧の風情を醸し出している。父親を早くに亡くしたのも、影響があるのかもしれない。

「黒木君は四組よね」とおばさん。

「あ、はい」黒木は下を向いたままぼそっと答えた。

「大人っぽいから、おばさん、中学生かと思っちゃった」

黒木は目をパチパチさせ、黙って鼻をかいていた。

「水泳教室でかおりと一緒だったんだ」

「ちがうって、おかあさん」サッサが口をはさんだ。「去年、区の小学生水泳大会で一緒だったの。黒木君、スクールに通ってなくても学校代表に選ばれたんだよ」

そういうことかと二郎は思った。黒木は水泳が得意だった。サッサと面識はあったのだ。もっともその一度だけだ。誕生会に呼んだのは、もっと近づきたいからだろう。

おばさんが去り、二郎たちだけで談笑した。ただ普段とは勝手がちがった。女子が皿に食べ物を取ってくれたりするのだ。

「それでリンゾウは麻布中《ザブチュー》を受けるつもりなのか？」向井が話の仕切り役だ。

「一応、受けるだけは受けようと思ってよ」

「間宮君、すごいね」女子たちが感心している。

「医者に知り合いがいると便利だぞ」向井が鼻をひくつかせて言った。「病気になったとき、腕のいい医者を紹介してもらえるからな」

「おれじゃだめなのか」リンゾウが目を剝《む》く。

「当たり前だろう。彫刻刀でいつも自分の指切ってるようなやつが、メスを手におれの盲腸を切るのか」

みんなで吹き出した。黒木も白い歯を見せている。黒木の笑い方はぎこちなかった。不良とつるんでいるときは威勢がいいのに、今日は口数も少ない。どこか場に馴染《なじ》めない様子だった。

「黒木君、いつも中学生と遊んでるの？」ハッセが声をかけた。

「まあな」

「うちの弟が怖がってる」

「じゃあ連れてこい。顔を覚えたら可愛がってやるよ」

「えー、悪いこと教えそう」

「ねえねえ、どういう人と知り合いなの？」

女子たちが口々に黒木の交遊関係に探りを入れる。黒木は、「カッさんって人は五中の一年をシメててよぉ」といった物騒な話をぼそぼそと披露した。

なんとなく黒木が呼ばれた訳がわかった。女子たちは、不良っぽい男子に興味津々なのだ。

食事を終えると、みんなでトランプをした。学校では男女が一緒に遊ぶことなどないのに、この日は全員が終始友好的だった。たまにはこういう催しも悪くない。

「上原君は誕生日、いつなの？」会話の中でサッサに聞かれた。

「六月の二十日だけど」

「じゃあ来月だ」

「おれは三月の二十三日」聞かれもしないのに淳が口をはさんだ。

「おれは一月八日」「おれは九月十日」男子が競って言う。

サッサは自分だけに聞いた。やや誇らしい気持ちになった。

もうすぐ十二歳だ。二郎はその日を強く意識している。以前姉が、「あんたが十二歳になったら教えたいことがある」と言ったからだ。

不安な気持ちがいっぱいある。姉が高校生のとき、父と喧嘩《けんか》をして「本当の父親でもないくせに」と口走ったことがあった。言ったあと、姉は自分の部屋に駆け込み、大声で泣いた。

小学校低学年だった二郎は子供部屋で聞いていたが、両親にも姉にも、真相を問いただすことはできなかった。桃子にも教えていない。自分の胸にしまった方がいい。本能的にそう判断したのだ。

きっとよくない話だ。その日を飛ばせないかと思うこともある。

「ねえ、中野公園へ行ってバドミントンしない？」

トランプが一段落したところでサッサが提案し、みなが賛成した。

男女十人でぞろぞろと公園へと向かう。グループ交際という言葉が浮かび、心が弾んだ。この先、生きていればいいことがいっぱいある気がする。

そのとき携帯電話が鳴った。黒木のポケットからだった。

「いいなあ。黒木君、ケータイ持ってるんだ」女子がうらやましがっている。

「おれも持ってるぞ」リンゾウが自慢したが、「君はママに持たされてるんじゃないのかい」と向井にからかわれた。

「今はまずいッスよ」

黒木が誰かと話している。口ぶりからすると相手は中学生だろう。

「これから中野公園へ行くところですけど」

顔色が冴《さ》えなかった。

公園に着き、バドミントンを始めた。二チームに別れ、勝ち抜き団体戦をやった。嬌声《きょうせい》が晴れた五月の空に響きわたる。いつもなら勝負事にむきになるハッセが、今日は負けても「いやーん」なんてシナをつくっている。

二郎がベンチに腰を下ろすと、サッサが隣に来た。それとなく二郎のそばに来たがっている気がした。

「上原クン家《ち》って、喫茶店でしょ」膝《ひざ》を固く閉じ、足を八の字にして聞いた。

「うん。店の名前がアガルタっていうんだ」

「おかあさんがやってるの？」

「うん。うちの店のクッキー、結構うまいんだぜ」

「あー、一度食べたい」

「学校帰りにでも来いよ。ごちそうしてやるから」

サッサが頬を赤くしてよろこんでいる。その仕種《しぐさ》を見たら、自分の顔も熱くなった。

「おとうさんは何やってるの？」

「おとうさんはフリーライター。雑誌に記事を書いてて、名前が出てたりするんだぜ」

「すっごーい」

一度、父に見せてもらったことがある。おとうさんの名前が出てるぞ、と。世の中に意見を言うページだった。聞いたこともない雑誌だったが、自分の名前が活字になるのだから凄《すご》いと思った。

「それから、小説も書いてる」

「うわあ、じゃあ作家じゃない」

「今度、本になるとか言ってたけど」

「本屋さんに並んだら教えてね」

「ああ、教えてやるよ」

父は夜、台所のテーブルで原稿用紙にペンを走らせている。「ベストセラーを出したらくさせてやるって、さくらちゃん」と言って母のお尻《しり》を撫《な》でるのを見たことがある。母は薄笑いを浮かべて、父の頭を叩《たた》いていた。

父が会社員だったことはない。物心ついたときからたいてい家にいる。父親とはそういうものだと思っていたら、小学生になって級友ができ、ほかの家はそうではないらしいことを知った。とくに気にしてはいない。不都合もない。

サッサは自分の家のことも話した。おとうさんは銀行員で、赤坂で支店長をしている。姉は私立の女子中学に通っていて、自分も来年は同じ学校に行くと言っていた。

「女子校なんてつまんない」

口をとがらせ、ベンチで足をぶらぶらさせていた。

しばらくバドミントンをして遊んでいたら、公園の隅に自転車に乗った中学生の一団が現れた。遠目にも柄の悪い連中だとわかった。ダブダブのズボンを穿《は》き、鋭い目つきでこっちを睨《にら》んでいる。

咄嗟《とっさ》に黒木を見た。硬い表情で立ち尽くしていた。向こうの一人が顎《あご》をしゃくる。黒木はバドミントンの輪を離れ、中学生たちに近づいていった。

ただならぬ気配に女子たちも不安そうな顔をする。しばらく立ち話をしたのち、黒木がゆっくりと戻ってきた。「おい、間宮」リンゾウを手招きする。そのままリンゾウの肩を抱き、銀杏《いちょう》の木の下へと連れていった。

「なんだよ、あいつら」淳が二郎の耳元でささやく。

「ゲームセンターにいつもいる連中じゃないのか」

「去年までうちの学校にいた人もいるな」向井もそばに来た。

銀杏の木の下では、リンゾウが顔をこわばらせている。黒木に何か言われている様子だ。放っておけなくて二郎が駆け寄った。

「黒木。何やってんだよ」

「おう、上原。おまえも金貸してくれ」黒木の不貞腐《ふてくさ》れた声だった。

「なんでだよ。なんで金がいるんだよ」

「あとで返すよ。それなら文句はねえだろう」

顔色が変わっていた。苛《いら》ついた様子で、二郎を睨みつける。

「あいつらにタカられてんのか」

「なめんなよ。おれがどうしてタカられんだよ」

肩を突かれた。黒木の顔は真っ赤だ。

「どうした」淳も向井もやってきた。

「うるせえんだよ。ぞろぞろ来やがって。間宮から金を借りようとしただけだよ。間宮ン家は金持ちだろうが。千円やそこらどうってことねえだろう」

黒木にシャツの襟をつかまれ、リンゾウは血の気を失っている。

「おい、やめろ」二郎が手を放させようとした。

「てめえは関係ねえだろう」

今度は胸を押された。二、三歩あとずさる。

中学生たちを見ると、離れた場所で、こっちを眺めてにやにやしていた。

「おい、持ってんだろ、金」

黒木がリンゾウを揺すった。興奮しているのか唇が震えている。黒木はすぐにかっとなり、我を忘れる男なのだ。

「おれが貸そうか」そのとき向井が言った。「帰りに本屋で漫画を買おうと思ってな。千円持ってんだよ」

「貸すことねえよ」

淳がきつい口調で言う。淳はチビだが気が強いところがある。

「いいから、いいから」向井が尻ポケットから財布を取り出した。「ただし黒木、返してくれよな。おれは金持ちってわけじゃないんだ。おまえン家と同じ母子家庭だ」

黒木がリンゾウを解放した。誰とも目を合わせようとしない。

「ここにいる三人が証人だ。今月中に返してくれ」

千円札を手渡す。黒木は奪うようにつかむと、踵《きびす》をかえし、ゆっくりとした歩調で中学生たちのところへ行った。

地面につばをはく。胸を反らせていた。精一杯、虚勢を張っているように見えた。

女子たちは一ヵ所で身を寄せ合い、それぞれが眉《まゆ》をひそめていた。

「おまえらは知らないだろうけど、黒木とは旧《ふる》い仲だ。幼稚園の頃から、中野区主催の母子家庭の集まりで、何度か一緒だったんだ」向井が静かな目で言った。「高尾山《たかおさん》にハイキングに行ったこともあるんだ」

二郎と淳は黙っていた。リンゾウはまだ青い顔のままだ。黒木が中学生の一人に金を渡す姿が目に入った。

「小学生になってからかなあ。チックが出るようになったのは」

「なんだよ、チックって」と二郎。

「あいつ目をパチパチさせるだろう。神経の病気だってよ、おふくろに聞いた」

黒木が中学生の自転車のうしろにまたがる。一団は公園から去っていった。

風が吹いてきて、周囲の木々がざわざわと鳴った。砂埃《すなぼこり》も立った。

明日から、黒木がサッサやハッセたちと口を利くことはないだろうと思った。

3

家庭訪問の日は、姉が会社に休暇願いを出し、店番をすることになった。

「お店は洋子《ようこ》に頼んだから。おかあさんはその日、うちにいるね」母が洗い物をしながら言っていた。

洋子というのが姉の名だ。高校を卒業後、簿記学校に一年通い、恵比寿《えびす》にある広告会社に経理として就職した。ただ、勤めているうちにデザインの仕事も覚えたようで、最近ではデザイナーを名乗っている。

「おねえちゃんの仕事を聞かれたら、デザイナーって答えるんだよ」

そう言って先月ほっぺたをつねられた。姉はなにかにつけ、二郎の頬をつねる。スキンシップなの、というのが姉の言い分だ。

姉は今年で二十二歳になる。つまり二郎とは十歳ちがいだ。

最初それを知った向井に、「じゃあおまえは恥かきっ子だな」とにやにやされたことがある。でも二つ下の妹がいることを告げると、「うん？　じゃあおねえさんが若気の至りなのか？」とむずかしい顔をしていた。

向井については、「こいつ本当に十一歳か？」と思うことがままある。なんといってもアソコの毛が密林なのだ。早く修学旅行が来ないものか。入浴のとき、学年中の男子が注目することはまちがいない。

「おねえちゃん、コーラ飲んでもいい？」

昼食の大盛りピラフを胃袋に押し込み、カウンターの中の姉に聞いた。家庭訪問の期間になると学校は半日だ。

「だめ。牛乳にしなさい」

あっさり撥《は》ねつけられた。こういうときの姉は母親みたいだ。客のためのコーヒーを、慣れた手つきでいれている。

「おとうさん、出かけてるんだよね」

「うん。おかあさんが仕事を斡旋《あっせん》したの」

「アッセンって？」

「仕事をまわしたの。ここに来るお客さんに雑誌の編集者がいて、その雑誌の映画を紹介するページをもらって、おとうさんに書かせることにしたんだって。今は試写会に行ってる」

「ふうん」おしぼりで口のまわりを拭《ふ》いた。

「おかあさんは糟糠《そうこう》の妻だね」

「ソウコウって？」

「辞書を引きなさい」

姉が客のテーブルにコーヒーを運ぶ。弟の目から見ても、姉はなかなかの美人だ。スタイルもよく、丸いお尻がぴったりとしたジーンズにくるまれている。彼氏はいるのだろうか。変なやつだといやだな。

「おとうさん、本を出すってほんと？」

二郎は水のおかわりを自分で注いだ。

「どうだろう。この前、傑作が書けたぞって、夜中におかあさんとダンスしてた。おかあさんはいやがってたけど」

「どんな小説？」

「知らない」姉がりんごを剝《む》き始めた。

「おねえちゃん、読んだことないの？」

「前に別のを無理矢理読まされたけど、よくわかんなかった。一人の男が国会議事堂を爆破するって話」

「かっこいいじゃん。スパイ小説みたい」

「ううん」かぶりを振る。「本人は純文学だって言ってる。だいいち、その主人公っての は元活動家なの。自分がモデルなんじゃないの」

二郎にはよくわからなかった。

「おかあさんに似たヒロインも出てきて、革命組織のマドンナなの」

ますますわからない。大人の小説だから、むずかしいことが書いてあるのだろう。

「いつ本になるの？」

「だから知らないって。本なんてそう簡単に出せるもんじゃないのよ」

「クラスの女子に言っちゃった。うちのおとうさん、今度本を出すって」

「だめよ」姉が目を大きく見開いた。「前にもあったんだから。新人賞に応募しただけで、当選した気になって、いよいよ作家デビューだって近所の人に触れまわって、おかあさんが困ってたもん」

「ふうん」姉に手渡されたりんごをかじった。シャリシャリといい音がする。

「うちのおとうさん、ホラ吹きだからね」姉も頰ばっていた。

「南の島に土地を買って移住するとか、キューバのカストロと友だちだとか、わたしが小学生の頃から言ってるよ」

「キューバのカストロって?」

「そういう有名人がいるの、カリブ海の島国に。あ、いらっしゃいませ」

客が入ってきて、姉が声を一オクターブ高くした。手を洗い、コップに水を注いでいる。

二郎は自分が食べたピラフの皿を手に、カウンターの中に移動した。食器の後片づけは一年生の頃からやっていた。上原家のルールだからだ。

午後四時、家庭訪問の時間になって、二郎は家に帰った。玄関を上がるなり、いい匂いが鼻をくすぐる。母は台所で桃子とクッキーを焼いていた。

「お店の分だからね」

桃子が焼き上がったクッキーを手元に引き寄せる。

「床に落ちてるぞ」

二郎が指差すと、桃子が慌てて下を見たので、早業でクッキーを一枚くすねた。

桃子が声をあげる。母に「一枚だけよ」とたしなめられた。

「桃子の家庭訪問はもう済んだの?」と二郎。

「うん、済んだ。桃子ね、作文コンクールの四年生代表候補なんだって。先生に褒められて、おかあさんうれしかった」

「へー、算数はだめなのに。人間、ひとつぐらい取り柄はあるもんだな」

「おにいちゃん、うるさい」桃子に叩《たた》かれた。

ほどなくして、南先生がやってきた。今日は紺のスーツ姿だ。うっすらと化粧もしている。午前中はしていなかった。なんだか別のおねえさんのようだ。

「南です。どうぞよろしくお願いします」

母に向かって深々と頭を下げた。緊張しているのか額に汗をかいている。

六畳間に通し、テーブルをはさんで向かい合う。二郎は母の隣に座った。

飲み物はいいと母に伝えたら、本当に何も出さなかった。代わりに扇風機を運んできた。

「トイレはそこを出て左です。ご自由に使ってください。それから、暑かったら扇風機をつけます」

「じゃあ、扇風機をお願いします」南先生が照れたように白い歯を見せた。「各家庭を自転車で回っているものですから」ハンカチで顔のあちこちを押さえている。

扇風機が動き出した。南先生の髪がゆらゆらと揺れている。

外では中央線を電車が通過する音がした。家がかすかに振動する。

「この辺りは駅にも近くて、便利でいいですね」

南先生がそんなお世辞を言った。まさか電車の音がうるさいとは言えないのだろう。

「二郎君は、課外活動にも積極的でとても助かってます。とくに卒業記念の花壇造りではリーダーを務めていただいて……」

南先生が敬語を使っているのが、なんだか妙な気がした。ずっと大人だと思っていたのに、今日だけは自分たちの方に近く感じる。

「理科をもう少し頑張っていただけると、五科目の成績がバランスよく……」

南先生はメモ帳を広げながら話していた。三日で三十軒以上も回るとなれば、あれこれ混乱してしまうのだろう。

「宿題については、お母様はどうお考えでしょうか。と申しますのは、学習塾へ通っている生徒の親御さんから、学校の宿題は少なくして欲しいというリクエストがありまして」

「二郎にはがんがん出してやってください」母がおどけて言う。

「おかあさん」

二郎が抗議すると、母と南先生が声を揃えて笑った。

そのとき玄関の戸を開ける音がした。ずいぶん乱暴な開け方だ。ドンドンと床の鳴る音もする。いやな予感がした。

「おい、さくら。台所か」父の大声だった。

だあーっ。二郎が心の中で叫ぶ。どうしてこんなに早く。映画の試写会ではなかったのか。南先生が、何事かという顔で視線を泳がせている。

襖《ふすま》が開いた。「なんだ、ここか」六畳間に父の声が響き渡った。

「おとうさん、こちら南先生。二郎の担任」

母は落ち着き払っている。

「あ、はじめまして」南先生が姿勢を正して会釈した。

「なんだ、あの試写会は。人を馬鹿にするにもほどがあるぞ」先生を無視して父が声を荒らげる。「上映開始の三十分も前に行ったのに、大半の席は『ご招待』の札が貼ってあって座る椅子なんかありゃしねえ」

「おとうさん、先生にご挨拶《あいさつ》」と母。

「ああ、いらっしゃい」ぞんざいに顎《あご》だけを向ける。「なんだ、二郎。何かしでかしたのか。喧嘩《けんか》か。万引きか」

「するわけないじゃん。家庭訪問。おとうさん、あっちに行ってて」二郎は声を低くして言った。

「ふん。まあいい。それより試写会だ」また母に言葉を浴びせ始めた。「座る席がなくてうろうろしてたら、時間間際に大手出版社らしき連中が次々と現れて、『よォ、ヤマちゃん、席取っておいてくれた?』なんて映画会社のやつに声をかけて、招待席に座るわけだ。特等席なんか最後に来た民放の女子アナが、『遅くなってすいませーん』とか言って、ドッカと座りやがんだ。ふざけるなって言うんだ。それで映画会社のやつをつかまえて、『どういうことだ』って問い詰めたら、『立ち見でお願いします』だってよ。三十分も前に到着したおれが立ち見だぞ」

父の額に青筋が立っていた。きっと怒り狂いながら帰ってきたのだ。

「だから映画、見なかったぞ」

「そうなの？」母が眉《まゆ》を寄せる。

「当たり前だろう。だいいち、映画会社のやつを一人、その場で投げ飛ばしたしな」

母が吐息をついた。目を伏せ、小さくかぶりを振っている。

「これは闘争じゃないぞ。教訓だ。教訓を与えてやったんだ」

南先生は呆気《あっけ》にとられ、突然現れた大男を見上げていた。

二郎の胸の中に、灰色の空気がどんどん充満していった。南先生の目に、うちはどのように映ることやら。

「で、家庭訪問だって？」

父が畳に腰を下ろした。南先生を、遠慮のない視線で眺め回している。

「ずいぶん若いね、あんた。歳はいくつだ」

「あ、あの、二十三です」

「うちの洋子と変わらんな」

「おとうさん、あっちへ行っててよ。おかあさんがいればいいから」二郎は顔をしかめて抗議した。

「なんだ父親に向かって」

「おとうさん」母がたしなめる。「息子の担任がいらっしゃってるんだから、少しは行儀よくしてください」

「おおそうか、じゃあ正座でもするか」父は冗談めかして居住まいを正した。「出身大学は？」

「あのう……」南先生が戸惑っている。

「あんたの出身大学だ」

「……城東の、教育学部です」声が細くなっていた。

「城東か。懐かしいな。あそこは全革共の根城だった。室田って知ってるか？　七八年の学費値上げを阻止した伝説の闘士だ」

「おとうさん。知るわけないでしょう。年代がちがいます」

「そりゃそうか」不敵に口の端を持ち上げている。

「すいません。もう時間なので……」

南先生が恐る恐る口を開いた。腰を浮かしかけている。

「もう帰るのか。晩飯でも食っていったらどうだ」

「いえ、まだ家庭訪問の続きがありますので」懸命に手を振っていた。

「なんだ、残念だな」父がギョロ目を剝《む》く。「じゃあ、おれからひとつだけ聞いていいかい？」

「はい……なんでしょう」

「うちの息子が、君が代を唄《うた》わないって言ったら、先生、どうする」

「はい？」浮かしかけた腰を止めた。

「学校の式典で、君が代斉唱を拒否したらどうするかって聞いてるんだ」

南先生がゴクリと喉《のど》を鳴らした。額には汗が滲《にじ》んでいる。

「ええと、二郎君と話し合って、できれば理解を得たいと」

「どういう理解だ」

「一応、日の丸掲揚と君が代斉唱は、学校法で定められているわけで」

「生徒が全員日本人とは限らんだろう」

「あのう、上原さんのお宅は……」

「日本人だよ。でもな、国家という共同体に参加するしないは個人の自由だろう」

先生の表情が硬くなった。やっかいな親がいるなと思っているのだろう。

「この国に生まれたら、無条件に、選択の余地なく、国民としての義務と権利が生じるなんておかしいと思わないか？　何かを押しつけられるということは、支配されているってことと同義だろう。人は支配されるために生まれてくるのか？」

「おとうさん、そういう話はまた今度。先生、家庭訪問の途中だから」

母が割って入った。子供に言い聞かせるような視線で、父を見つめている。二郎は恥ずかしさで顔が熱くなった。

「じゃあ最後にもうひとつだけ質問だ。簡潔に答えてくれ。あんたは天皇制には賛成か」

父が先生を見据える。南先生はしばらく間を置いたのち、一回深呼吸して、答えた。

「賛成です」毅然《きぜん》とした物言いだった。

「ほう」父が身を乗り出す。「じゃあ展開してみろ」

「テンカイ？」

「だから論を展開しろということだ」

南先生が髪をひと振りする。頬をやや紅潮させ、父を正面から見た。

「……もしも皇室がなければ、この国は品のない大衆社会に成り下がってしまうと思います。同じ人間でありながら、自分の将来を自由に選択できないのは不公平だと思います。ですから、皇室にはいくばくかの同情を持っています。しかし、嫉妬《しっと》深くて極端な同質社会である日本には、誰かに犠牲になっていただいても、嫉妬し切れない、手の届かない存在が必要だと思います。それが皇室です。それから――」

南先生がひとつ咳《せき》ばらいをする。父が膝《ひざ》を立て、うれしそうに眼を輝かせた。

「ふんふん、それから？」

「皇居と赤坂御用地の緑は、いったい誰が守るというのでしょう」

父が声をあげて笑った。手を叩《たた》いてよろこんでいる。

「こりゃいいや。先生、気にいったよ」

意外な事の成り行きに、二郎は言葉を失っていた。南先生の別の一面を見た気がした。

大人同士だと見せる顔もちがうのだろうか。

「役者だね。教師にしておくのがもったいない」父が目を細めて言う。

「おとうさん、いい加減にしてよ」母は腰に手を当てていた。「すいませんね、先生。こういう父親なんです」

「いえ、大変勉強になります」

「息子にいろいろ吹き込みますが、わたしは、子供ってそれほど簡単に洗脳されるものじゃないと思ってるんです。二郎はわりと客観的なところがありますから、親のことも案外冷静に見てるんじゃないかと」

緊張が解けたのか、南先生は口元に笑みを浮かべ、黙ってうなずいていた。

二郎は安心した。よくわからないが、南先生は怒っていない。

「じゃあ、これで失礼します」

南先生が立ち上がった。すらりとした足がスカートから伸びている。部屋の空気が動き、いい匂いが漂った。初めて気づいたが、南先生は香水をつけていた。

母が玄関先まで見送った。

「おい、いい女だな」父が畳に寝転がり、声を低くして言った。「これはいるのか」親指を立てた。

二郎はぎょっとした。先生に、なんてことを。

「次の家庭訪問はいつだ」

「あるわけないじゃん。年に一回なのに」

「そうか、残念だなあ」にやにやして無精髭《ぶしょうひげ》を撫《な》でている。

二郎は体の力が抜け、テーブルに伏せた。

「授業参観日はいつだ」

「知らない」

「そういやあ、おとうさん、一回も行ったことがなかったな、おまえの学校」

父には教えまいと思った。

二郎の腹が鳴る。余計なエネルギーを使ったせいで、五時前だというのにもう空腹がピークに達していた。

4

優華《ゆうか》が漫画雑誌のグラビアページから飛び出てきた。「二郎君っていうんだ」そうつぶやき、二郎の顔をのぞき込んでいる。

顔が熱くなった。優華のTシャツは胸の部分が形よく突き出ている。甘い匂いが鼻をくすぐった。

「六年生なんだ。うふっ、可愛い」真っ白な歯がこぼれる。

熱い部分がだんだん広がり、全身に及んでいった。とくにパンツの中は、懐炉でも突っ込んだかのようにじんじんと火照っている。

「ほう、一丁前に朝立ちか」

不意に父が現れた。父はいつもそうやって二郎をからかう。風呂ていた。

「おとうさんはあっちへ行っててよ」二郎は目を吊《つ》り上げ、抗議した。

「怖いな。わっはっは」すっと消えていなくなった。

また優華と二人きりになる。

「どこかへ連れてって欲しいな」優華が色っぽい目で言った。

「中野ブロードウェイへ行こうか。おもちゃ屋もゲームセンターもあるし」二郎は声がうわずっていた。

「うん、いいよ。行こう」

自転車を引っ張り出す。優華がうしろにまたがる。「出発進行」と愛らしく指示された。

二人乗りの自転車が路地を疾走する。まるでテレビゲームのように、迫り来る障害物を右に左にかわして進んだ。

「二郎君、すっごーい」優華が興奮している。ますます自転車のスピードを上げた。

肉屋のおじさんが、店先で口をあんぐりと開けていた。淳が現れ、「おれも、おれも」と追いかけてきた。もちろん振りきる。

中野ブロードウェイに入ると二人で通りを走った。「待ってよォ」優華が二郎の腕を引っ張った。「こっちこっち」先導された場所は倉庫だった。

「ここだと見つからないから」

いつの間にか隠れんぼになっていた。そうか、父や淳は鬼だったのか。積み荷の隙間に二人で身を隠す。優華の顔がすぐ近くにあった。全身がますます熱くなった。おまけに心臓が高鳴り、喉から飛び出そうだ。

腕と腕が触れた。優華の腕はつきたての餅《もち》のように柔らかかった。

目の前に優華のうなじがあった。吸いつきたい衝動に駆られた。

腰の周辺が、奥底からこそばゆくなる。せつないような、全力で走り出したくなるような。校庭の昇り棒を昇るときの、股間《こかん》に生じるあの変な感触が、百倍になって襲ってきた感じだ。

優華が振り返って言った。「二郎君、顔がこわーい」

自分がどんな顔をしているのか、もちろんわからない。

「あの、優華ちゃん。ぼ、ぼく」鼻息荒く、抱きつこうとした。

するりとかわされた。「うふふ」優華が悪戯《いたずら》っぽく笑っている。

「ぼく、ぼく」その言葉しか出てこない。また抱きつこうとした。

動くたびに、腰が引ける。そうしないと前にも進めない。頭の中が爆発しそうになる。

こんな感じは初めてだ。

まずい。何かが出そうだ。あーっ。こらえきれない。いいのか、いいのか。ここで出して、いいのか――。

二郎はパジャマ姿で一階に降りると、洗面所に直行し、洗濯機の中から昨日入れたパンツを取り出した。その場で素早く穿《は》き替える。濡《ぬ》れたパンツを洗濯物の中に押し込み、かき混ぜてわからないようにした。

朝方見た夢は、まだ余韻が残っている。あの快感はなんだったのだろう。こらえた末の小便の気持ちよさに似ていたが、根本的に種類がちがう気がする。いけない感じがした。親には言えない類《たぐい》の出来事だ。

目が覚め、パンツの中の異常を発見したとき、真っ先に思い浮かべたのは向井の顔だった。以前、「おまえら夢精も未経験か」と言っていた。「あれは一種の極楽だな」とも遠い目をして言った。これがその夢精なのだろうか。

五年生のとき、女子だけが家庭科室に行っている間、隣の組の男の先生がやってきて、「射精」について教えてくれた。神妙に聞いていたが、ずっと先のことだと思っていた。あれが自分の身に起こったのだろうか。それより何より、こんな変な感じがするなんて先生は教えてくれなかった。

学校へ行ったら早速向井を捕まえなければ。

「おう、二郎。ムスコは今朝も元気か」父がやってきた。

どきりとした。いつもの台詞《せりふ》とはいえ、今朝は汗が出てくる。

父がのぞき込もうとしたので体をひねり、無視して歯を磨いた。

「なんだ、愛想なしだな」父も歯ブラシを手にした。

狭い洗面所なので、隅に押しやられる。

「ところで、おまえの担任の南先生だがな」父が鏡を見たまま言った。「近々、教育方針について話がしたいと言っておいてくれ」

「おとうさんが？　南先生と？」

「そうだ。今度は憲法に関しての意見が聞きたいと、伝えておいてくれ」

「うん」と生返事する。なんとかごまかす方法を考えなくては。どうせろくなことになりそうにない。

朝御飯は三杯食べた。シシャモで一杯、ウインナー炒《いた》めで一杯、生卵とふりかけで一杯。これでも四時間目には腹が減って目が回る。

鞄《かばん》を抱え、家を飛び出た。妹の桃子はおいてけぼりだ。足がのろいから苛々《いらいら》する。

途中、クリーニング屋の淳と合流した。

「中田のフリーキック、凄《すご》かったな」

「日本代表は、やっぱり中田がトップ下だよな」

淳とは、ゆうべテレビで見たサッカーの話をした。淳は三月生まれのせいか、まだ幼いところがある。夢精の話はふさわしくない。だから教室に入って真っ先にしたのは、向井を捕まえ、廊下に連れ出すことだった。

「なんだ、二郎。借金の申し込みか。あいにく今月は——」

「ちがうよ」

「じゃあ印鑑か。うちには象牙《ぞうげ》の在庫があるから、いい印鑑、作ってやるぞ」

「小学生でそんなものいるか」

「それがな、御利益があるんだよ」

「いいから、来い」

非常階段の所まで引っ張っていった。手摺《てすり》に向井を押しつける。

「なんだ、無礼者め。世が世なら手打ちにいたすところ――」

こんな台詞がポンポン出てくるのは、向井がお祖母《ばあ》さんの付き合いで、いつも時代劇を見ているからだ。

「なあ向井。おまえ、前に夢精の話、してたよな」二郎が声をひそめて言った。

「夢精？　おお、したな、そういえば」向井が一瞬真顔になる。だが、すぐさま口元を緩め、「ほほう」と二郎の胸をつついた。

「二郎もいよいよ第二次性徴期に突入したか」顎《あご》を撫で、目を細めている。「で、今朝、白いものが出てしまったわけだ」

「色までは見てねえよ」

「臭いは？」

「嗅《か》ぐか」

「二郎はいまひとつ、探究心に欠けるな」

「うるさい。人には言うなよな」

二郎が睨《にら》むと、向井は「わかった、わかった」と大口を開けて笑った。

「それでだな……」二郎がいっそう声を低くする。「あれって、あれでいいのか？」

「君ね、わかるように言いなさい」

「その、つまり……ああいう感じがしてもいいのか」

「ああいう感じって、要は気持ちよかったんだろ？」

「わかんねえよ」

二郎が答える。事実、今朝の出来事を気持ちいいと表現すべきか、自分では判断がつかなかった。やっちゃった、という思いが強いのだ。

「まあ、二郎は初めてだからな。二度目三度目になれば、気持ちよさにも慣れるさ」

そういうものだろうか。向井に肩を叩《たた》かれた。

「なにやってんだよ」そのとき、背中に声が降りかかった。淳だった。

「おう。二郎が今朝方、夢精を経験してな。その相談だ」しれっと向井が言う。

「内緒だって言っただろう」二郎はつかみかかった。

「いかんぞ、親友に隠し事は」向井はまったく悪びれていない。

仕方がないので淳にも事情を説明し、しばし夢精談義をすることになった。

淳は「おれもあった」と、かすかに頬をひきつらせて言った。たぶんうそだ。淳は発育が遅いのを内心気にしている。性器は百合《ゆり》の蕾《つぼみ》ほどしかない。

「でもよォ、勃起《ぼっき》するのって、二十五歳くらいまでらしいな」その淳が言い出した。

「ほんとかよ」二郎には初耳だった。

「誰かが言ってたのを聞いた」淳は真顔だ。

「そうだろうな」向井が腕を組み、うなずいた。「大人になってまで、チンポコが固くなったり柔らかくなったりしたら不便だもんな」

向井が言うなら正しいのだろう、と二郎は思った。

「ところで諸君、話は変わるが、大久保《おおくぼ》にな、銭湯の女風呂《ぶろ》をのぞけるビルがあるらしいぞ」

向井が、鼻の下を伸ばすでもなく淡々と言う。

「のぞけたって、銭湯なんてババアばっかじゃん」と淳。

「いいや、若い女。それも外国人だ。あの辺はガイジンの出稼ぎが多いから、銭湯も金髪ばかりなんだよ」

「なんでそんなこと知ってんだ」二郎が聞いた。

「そのビルは二階に塾が入っててな。そこに通ってる従兄弟《いとこ》が、屋上に上がると隣の銭湯の女風呂が丸見えだって言ってた」

「ガイジンってよォ、頭は金髪でも、アソコの毛は黒いらしいな」淳が、今度は頬を紅潮させて言う。

「ほんとかよ」さすがにそれは眉唾《まゆつば》だと思った。

「ほんとだって。うちの近所の大学生が言ってたもん」

「二郎はどう思う」と向井。

「知るか。考えたってわかんねえよ」

「じゃあ、確認する必要があるな」

向井が何食わぬ顔で言う。目だけが笑っていたので、二郎も淳も即座に色めき立った。

「のぞきに行くのか」と二郎。

「諸君が望むなら、付き合ってやってもいいぞ」

「見つかったらやばくねえか」

「大丈夫だよ。塾の生徒だって言えば」淳はやる気満々だった。

「君たち、夜は出られるか。明るいうちはこっちの姿も目立つから、やっぱり暗くなってからじゃないとな」向井が落ち着き払って言う。「悪事は闇に紛れてするものよ。ふっふっふ」

本当に、この男は小学生らしい会話ができないのか。

「おれは平気だ。家には区民プールで水泳の練習をするって言う」

淳は早くも興奮気味だ。目まで血走らせている。

「だったら、おれも区民プールってことにする」

二郎もうなずいていた。自分だけ参加しないわけにはいかないし、向井や淳だけに先を越されるのは癪《しゃく》だ。

「よし、七時にサンプラザ前に集合だ。三人だけの秘密にすること」

あれよあれよと言う間に決まった。呆気《あっけ》ないくらいだ。

三人で円陣を組んだ。手と手を重ね合う。

「しまっていこうぜ」

「おう」

野球の試合前みたいに声を合わせていた。

いよいよ女の裸が生で見られるのか。そう思うと二郎の心臓は高鳴った。これはきっと画期的な出来事だ。初体験、という言葉が浮かぶ。なんだか股間《こかん》まで熱く火照ってきた。

その日の授業はまるで身が入らなかった。今夜、おれらは女の裸を見てくるんだぜ――。呑気《のんき》に授業を受けている男子どもを、せせら笑いたい衝動に駆られる。ほかの男子が知ったら、きっと英雄扱いだろう。自然と鼻の穴が開く。

「上原君、顔が赤い。風邪ひいてるの?」サッサに言われてしまった。


夕食を早めに済ませ、自転車でサンプラザの前に行くと、向井と淳がすでに待っていた。

「遅いぞ、二郎」そう言って淳が睨む。

「ふざけるな。まだ六時四十五分じゃないか」

きっと家にいられなかったのだろう。打ち合わせどおり、それぞれリュックを背負っていた。中にはカモフラージュ用に海パンとタオルが入っている。

「九時半までには帰ること。車に気をつけること」向井が腰に手を当てて言った。

「エラソーに。先生みたいなことを」

毒づきながらも二郎の頰は緩んでいた。なんたって女の裸なのだ。

「じゃあ行くか」と二郎。けれど向井が「まあ待て」と手で制した。

「リンゾウも来ることになってな。淳がしゃべっちまったんだよ」

「おまえは約束ってものが守れねえのか」

「いいじゃんよォ、リンゾウぐらい」淳は口をとがらせている。

そのリンゾウがマウンテンバイクで現れた。黒い野球帽に黒いTシャツといういでたちだ。闇に紛れようというのか。張り切っているのが一目でわかった。

「おいリンゾウ、塾はどうした」二郎が聞く。リンゾウは「さぼった」と何事でもないように答えた。

「麻布中《ザブチュー》、落ちるぞ」

「大丈夫だよ。へへ」

むっつりスケベだったのか――。リンゾウの意外な一面を見た気がした。

「早く行こうぜ」とリンゾウ。

「おまえが仕切るな」つい声を荒らげていた。

四台の自転車が、一列になって線路沿いの道を走った。中野と大久保は目と鼻の先だが、自分たちだけで行くことは滅多にない。行動範囲は学区内と決まっていて、そこから外へ出るのには勇気がいった。よその小学校の生徒と出くわすだけで、かすかに緊張した。ましてや知らない繁華街ともなれば、かなりの冒険だ。

日はすっかり沈み、副都心の高層ビル群が前方にきらめいていた。二郎はこの眺めが大好きだ。いちばん背の高い都庁が、ほかのビルを従えてすっくと建っているさまは、デカレンジャーが悪者を倒したときの決めのポーズみたいだ。

大きな通りは車が多いので路地裏を走った。先頭を走る向井はママチャリにまたがっている。

「バアちゃんが買ってくれるって言ったけど、おれはパソコンの方が欲しくてな」向井はそう言って、自分だけ自転車がちがうことをまるで気にしていない。「二郎、ライト点《つ》けろよ」向井に注意され、従った。この男にはあまり逆らう気になれない。

十分ほど自転車を漕《こ》ぎ、大久保の駅にさしかかった。この時間帯の大久保は初めてだ。駅前のにぎやかさなら中野の方が上だが、この街は雰囲気を異にしていた。ネオンの種類がちがった。やけにどぎついのだ。

おまけに、怖そうな大人がたくさん歩いている。自分たちが場違いなのはすぐにわかった。この時間、小学生なんてほとんど出歩いていない。

四人とも表情が硬くなった。交わす言葉も少なくなる。

駅の前では自転車を降り、押して歩いた。ベルを鳴らす気などとても起こらなかったし、外国人の集団が歩道をふさいでたむろしていたときは、恐る恐る車道に出た。

駅前繁華街を抜けて、再び自転車にまたがる。やや町並みが暗くなったところで、行く手に煙突が見えた。

「おお、あそこだぞ」と向井。「いよいよ女体の神秘が解き明かされるな」

四人で笑ったら、肩の力がすっと抜けた。

「おれ、おとうさんの双眼鏡、持ってきた。ドイツ製のやつ」とリンゾウ。

リンゾウの見方を変えようと思った。きっと部屋にはエッチな本だってあるのだろう。

目的の銭湯に到着すると、向井が言っていたとおり、すぐ横には塾の入ったビルがあった。子供用の自転車がたくさん並んでいる。見上げると二階の窓が一面明るくなっていた。

「なかなかいい環境だな」向井がつぶやく。

周囲は静まり返っているが、ここが住宅街でないことはすぐにわかった。通りから一歩入ると、そこはラブホテル街だ。

向井を先頭にしてビルに入った。塾のある階を素通りして、さらに階段を上がる。脈が速くなってきた。いよいよ女の裸だ。大人と擦れちがいませんように。心の中で祈っていた。

無事、屋上階にたどり着く。向井がドアノブを握り、振り返った。行くぞ、と目配せしていた。残りの三人が黙ってうなずいた。

ドアが開くとねっとりした空気が肌にからんできた。目の前にはラブホテルのネオンが瞬いている。背中を汗が伝っていった。この辺りだけ湿気がたまっている気がした。

一歩踏み出す。全員が腰をかがめていた。

煙突のある方の手摺《てすり》へと進む。先に淳が「あっ」と低い叫び声をあげた。

みなが手摺から身を乗り出し、下をのぞく。確かに銭湯の大きな窓明かりが見えた。ただしガラスは水滴で曇っている。女湯かどうかもわからない。

「なんだよ」二郎は向井に向けて顔をしかめた。「話がちがうじゃねえかよ」

「おかしいなあ。従兄弟《いとこ》は確かに見えるって言ってたんだがな」向井が、焦るでもなく平然と言う。

「女湯が丸見えなんてうそじゃねえか」

二郎は目を吊《つ》り上げ、向井の腕を小突いた。

「でも、確かに女湯ではあるな」隣でリンゾウが声を発した。いつの間にか双眼鏡をのぞき込んでいる。「全体に髪が長いしな、それに尻《しり》の形ぐらいならわかるぞ」

残りの三人が色めき立った。

「アソコの毛もなんとなくわかる」とリンゾウ。

「おれにも見せろ」

淳が手を伸ばす。もちろん二郎もそうした。

「おれンだろう」

珍しくリンゾウが抵抗する。双眼鏡の奪い合いになった。

「ちょっと待て。静かにしろ」向井が割って入る。「順番で行こう。一人一分交替。リンゾウが腕時計をしてるから、それで計ろう」

みながうなずいた。「じゃあ出席番号順だ」

まず二郎が双眼鏡を手にすることになった。

胸の高鳴りを抑え、双眼鏡に目を当てる。アップになると、確かに女湯だとわかった。ぼんやりとした輪郭だけだが、体の線がちがう。なにか、温かくて柔らかなものが、レンズの向こう側で動いているのだ。アソコも、黒くなっているのがなんとなくわかる。

「おい、結構見えるぞ」

はっきりしないぶん、想像力がかき立てられた。ズボンの中で性器が熱をはらんできた。

「おっ、オッパイが揺れた」事実だった。湯船から女が出るところだったのだ。

「どれどれ」興奮した淳が首にしがみついてきた。

「まだ一分経ってねえだろう」淳を押し返す。

時間が来たところで淳に双眼鏡を渡した。向井と目が合い、つい口元が緩んでしまう。

「なあ向井、やっぱガイジンでも、アソコの毛は黒いんだな」

「おお、そうか」

自分が見たのは、きっと若い外国人の女だ。そう思い込むことにした。

淳はやたらと興奮していた。「おー」とか「あー」とか、一人声をあげている。

リンゾウは、一心不乱に双眼鏡をのぞいていた。凄《すご》い集中力だ。だから勉強ができるのだろう。

「ゲルマン民族は優秀だなあ」向井は双眼鏡の性能に感心していた。どこまでもとぼけた男だ。

双眼鏡は五巡した。その頃になると、さすがに最初の興奮は鎮まり、顔も見えないことへの物足りなさを感じるようになった。きっとほかの三人も同じだ。ただ、誰もそれを口にはしなかった。せっかくの盛り上がりに水を差すことはない。気持ちはひとつになっていた。これで四人は戦友なのだ。

三十分ほどで屋上を引き上げた。向井の提案で、銭湯の前に行くことにする。

「どんな女が入ってたのか、出てくる客で確認しようぜ」

なんて悪知恵の働く小学生なのか。二郎は感動すら覚えた。

自販機の前に自転車を停め、出てくる客を見張った。ついでにジュースを買って飲んだ。全員、喉《のど》がからからだったのだ。

暖簾《のれん》をくぐって入浴客が出てくる。おばさんが多かったが、水商売と思われる若い女もいた。その都度、動悸《どうき》が速まる。そして一人のグラマーな外国人女が出てきた。髪は金髪だ。大胆にもノーブラでタンクトップを着ている。

この女の裸を見たのか――。二郎の興奮は頂点に達した。淳もリンゾウも顔を紅潮させている。

来てよかったと心から思った。股間《こかん》がますます熱くなる。このまま学校へ駆け込んで、昇り棒を心ゆくまで昇りたい心境だ。

リンゾウの腕を取り、Gショックの文字盤を見る。午後八時半を回っていたので、そろそろ退散することにした。

「おい淳、学校で言い触らすなよ」二郎が釘《くぎ》を刺す。

「言わねえよ」淳が鼻に皺《しわ》を寄せて言い返す。

本当は言い触らして欲しかった。女子にばれるとまずいが、クラスの男子になら大いに自慢したい。

自転車にまたがり、ゆっくりと漕ぎ始めた。二郎は列の最後だ。

目の前の四つ辻《つじ》を、男女のカップルが通っていった。

どきりとした。姉の横顔だ。

外灯に照らされた、姉の横顔がそこにあった。

おねえちゃん――。思わず声をあげそうになった。

心臓が早鐘を打つ。咄嗟《とっさ》に男の方を見ていた。

中年の男だった。父ほどではないにしろ、少なくとも、二十一歳の姉と釣り合う若い男ではない。

見間違いか。姉がこんなラブホテル街を歩いているわけがない。

四つ辻のところで自転車を停めた。うしろ姿を見る。着ている服が今朝の姉と一緒だ。二人は腕を組んでいた。

姉が男を見上げ、微笑んだ。白い歯がこぼれた。家では見せたことのない、生々しい笑顔だった。

「おい、どうした」向井が十メートルほど先で停まっていた。

慌ててその場を離れる。

「なんでもない」言いながら、血の気が引いていった。

さっきまでの興奮が一気に冷えていた。代わりに胸の中で暗い気持ちがずんずんとふくらんでいく。

腰を浮かせ、二郎は自転車を漕《こ》いだ。動悸が収まらなかった。

5

日曜日、久し振りに家族揃って昼御飯を食べた。アガルタは日曜定休なので、母が焼きそばを作ってくれたのだ。上原家の焼きそばは必ず半熟目玉焼きが載っている。それが普通だと思っていたので、初めて給食に焼きそばが出たとき、「目玉焼きは?」と聞いて笑われたことがある。

おまけに上原家では御飯を炊く。焼きそばをおかずに御飯を食べるのだ。二郎は出来上がった焼きそばに、さらにソースを加えるのが習慣だった。そうすると御飯が進む。

家族が揃ったのは珍しく姉がいるからだ。普段、家には寝に帰ってくるだけで、休みの日もどこかへ出かけてしまう。母も「洋子は素泊まり客みたい」と呆《あき》れていた。

その姉がテーブルの真向かいにいる。髪をうしろで束ね、化粧っけのない顔で黙々と食べていた。

あの夜、二郎はなかなか寝つけなかった。姉が、知らない男と腕を組んで歩いていた。男に向け、甘えたような笑みを見せた。その光景が瞼《まぶた》に焼き付き、暗い気持ちになった。しかも、男はおじさんだった。たぶん三十五歳ぐらいだ。文具屋のおじさんが三十五歳なので、同じくらいだろうと見当をつけた。

恋人同士と言うには、あまりに不釣り合いだ。ただ、それ以外の関係となると二郎には見当もつかなかった。そして想像もしたくない。

布団にくるまっていると、午後十一時を過ぎて姉が帰ってきた。階下で母に「ただいま」とだけ言い、トントンと階段を上がってきた。思わず身を硬くする。

二郎は何かに耐えていた。世の中は、きっと自分が思っているようには進まない。家族といえども、一人一人は別に生きている——。

「おい、洋子。暇ならおれの小説を読まないか」父が御飯を頬張ったまま言った。

「いや」姉が素っ気なく答える。

「文学舎の編集者に読ませたら好評でな。ゲラにするってよ」

「ゲラって?」桃子が聞いた。

「活字にするってことだ。おとうさんの小説、いよいよ本になるぞ」

二郎は驚いて母を見た。母は目を伏せ、微笑んでいる。

「ほんと?」二郎は母に聞いた。

「ほんとなんだって」母が口を開く。どこか晴れがましい物言いだった。「編集の人が気にいってくれて、本にしたいんだって」

文学舎といえば二郎でも知っている一流出版社だった。参考書や漫画も出している。

「おとうさん、すごいじゃん」

「まあな」父がコップの麦茶を飲み干した。「目利きはちゃんといるってことよ。おれはこれまでだって傑作を書いてきたんだ。要するに、見る目のある編集者に出会えなかっただけのことだ」

「じゃあ作家だね」

「ああ。出版されたら、あちこちから執筆依頼が来るだろうから、そうなったら南の島へ移住するからな」

「南の島？」

「あるんだよ。沖縄の波照間《はてるま》島のその先に、地図にも載っていない秘密の島が」

父が声をひそめる。母が苦笑したので冗談だと思った。

「作家が東京にいる必要はないだろう。今日びはファックスだってなんだってあるんだ。もっと空気のきれいな所に行こうじゃないか」

「わたしはいやですからね」姉が口をはさむ。とがった声だった。「みなさんでどうぞ。わたしはアパートでも借りて一人暮らしをしますから」

「だめだ。家族全員で行くんだ」父が台所に声を響かせた。「畑を耕すには人手がいるんだ。おまえ、人の会社の金勘定なんかしてても楽しかないだろう」

「もう経理じゃありません。グラフィックデザイナーです」姉が顎《あご》を突き出す。

「どっちにしろ資本家の手先だ。クライアントとやらの気まぐれに振りまわされる仕事じゃないか」

「おとうさんはどうなの」姉が目を剝《む》いた。「フリーライターなんて出版社の言いなりじゃない」

「それは仮の姿。これからは作家だ。今までふんぞりかえってた編集者どもを米つきバッタにしてやる」

「どうだか。ゲラになったくらいで」

「ゲラにするってことは、本にするってことだ」

「それにしたって、売れなきゃ意味ないでしょう」

「ばーか。ベストセラー間違いなしだ。文学賞も総なめだ」

「ごちそうさま」

姉が無視して席を立つ。流しで自分の食器を洗うと、さっさと二階へ行ってしまった。

「おい、二郎。おまえは移住に賛成だよな。いいぞ、南の島の暮らしは」

目で母に助けを求めた。「本気にしなくていい」母は肩をすくめていた。

「何を言うか。おれは本気だぞ。おまえと結婚するときだって言っただろう。おれの理想は自給自足生活だ。誰にも搾取させないで、家族だけで暮らすんだ」

「転校するの、やだ」桃子が言った。

「ぼくも」と二郎。

「学校、楽しいのか」

「うん」二人で答えた。

「まったくもう、おれの子供ともあろうものが、国なんかに飼い馴《な》らされやがって。おまえらが学校で吹き込まれてるのは、体制側にとって都合のいい人間を作るための催眠術みたいなものなんだぞ。いつの時代も学校は矯正施設だ。かつては『お国のために死んでこい』と教えられた。今は、たくさん働いてたくさん税金を納めろと教えられる」

「おとうさん。そんなこと、子供に言ってもわからないでしょう」母がたしなめた。

「わからせる。いいか、二郎、桃子」つばきが飛んだ。父の声がいっそう大きくなる。

「国民の三大義務なんて大うそだからな。覚えておけ。教育、勤労、納税。そんなものは本来個人の自由であるべきなんだ。学校へ行かない、働かない、税金は納めない。人類は、歴史の大半をそうやって過ごしてきたんだ。何の不都合もなかったんだ」

「二郎、今日は遊びにいかないの？」母が言った。

「このあと淳と遊ぶ」

「おまえね、おれが大切な話をしているときに……」父の矛先が母に向かった。

桃子と目配せし、急いで食器を洗う。おかげで御飯をおかわりしそこなった。

「人類の不幸はな、あるうえに欲しがるってところから始まったんだ」

「はいはい」母は適当に受け流している。

聞きながら、二郎にも桃子と同じ疑問が湧いてきた。母はどうして父と結婚したのだろう。若い頃から父は変わり者だったのだろうか。

大男が、テーブルに覆いかぶさるようにして議論を吹っかけている。母は動じる様子もなく、黙ってお茶をいれていた。

「うちのおとうさん、いよいよ作家だってよ」

その日の午後、黙っていられなくて淳に話した。ただし無関心を装った。中野ブロードウェイを二人で歩きながら、ついでという感じで告げたのだ。

「すっげえじゃん」淳は驚いてくれた。「おまえン家、金持ちになっちゃうな」

「すぐにはならないさ」

二郎はそう答えたが、内心は期待しないでもなかった。赤ん坊の頃からずっと今の借家に住んでいる。電車が通るとギシギシ揺れる古い家だ。一度でいいから、サッサのように静かな住宅街の真新しい家に住んでみたいものだ。

いや、もしかすると豪邸も夢ではないのかもしれない。なんたって父は作家になるのだ。そうなったら自分の部屋が欲しい。ふかふかのベッドも欲しい。

「私立に行くとか言うなよな」

淳は、自分がおいてけぼりを食うのを心配しているみたいだ。

「行かねえよ、私立なんて」

答えつつ、そういう可能性が自分に生じたことに驚き、小さく胸がふくらんだ。父が作家なら、金持ちの家の子供たちの中に入っても、気後れしなくて済みそうだ。

久し振りに父を見直した。南の島へ移住するという話を取り下げればの話だが。

淳が競技サイズのバスケットボールを買うというので付き合った。淳は中学に進んだらバスケット部に入ると決めている。「背を伸ばしたいしな」と前から言っていた。

スポーツ店で淳が買ったのはゴム製ボールだった。革製はびっくりするほど高かった。

「二郎は中学に行ったら、部活、何やんだよ」

「決めてない」

サッカーと野球は候補外だ。クラブチームに入っている連中に、最初から差をつけられるのが癪《しゃく》だからだ。二郎は陸上がいいかなと心の中で思っている。用具がいらないからお金もかからない。

早速、近くの区役所前でドリブルの練習をすることにした。休日の区役所周辺は人通りがまるでない。

ボールをバウンドさせる音がビルに反響した。淳は思ったよりずっと器用だった。駐輪場の仕切り線を利用して、素早くジグザグにドリブルしていく。

「もう少し手が大きいと、うまくいくんだけどな」

「すぐに大きくなるさ」

ドリブルの後はシュートの練習をすることにした。裏手の駐車場に窓のない壁があるので、そこへ移動する。

すると、停めてあったマイクロバスの陰で、中学生たちがしゃがみ込み、たばこを吸っているところに出くわした。

目を合わせないようにする。あわてて方向転換するのもまずいと思い、緩やかなカーブを描いてその場を離れようとした。

「おい」しかし背中に声がかかった。急所がひょいと持ち上がる。

振り返ると、見たことのある顔だった。サッサの誕生会の日、公園で遭遇した連中だ。全部で四人いた。

「今日は、黒木は一緒じゃねえのか」茶髪の一人が低い声で凄《すご》んだ。

それはこっちの台詞《せりふ》だと思った。黒木なんか友だちじゃない。

「ケータイ貸してやっからよォ。今から黒木、呼べよ」

たばこをアスファルトに押しつけ、茶髪が立ち上がった。眉《まゆ》が鋭角的に剃《そ》り揃えてあり、顔全体が不気味だった。

「番号、知らないから」そう言って歩き出す。

「逃げんなよ」また凄まれた。「逃げることはねえだろう」

「おい、カツ。小学生なんか相手にすんなよ」別の中学生が口をはさむ。

「来年は後輩だぞ。今から躾《しつけ》をしとくんだよ」

カツと呼ばれた男が、ガムをくちゃくちゃと嚙《か》みながら、ゆっくりと近づいてきた。百七十センチはありそうだ。ぶかぶかのズボンを引きずっている。

「まあ、そんなに怖がんな。おれらはやさしいんだ」二郎の肩をつついた。口の端だけで笑っている。「おお、そうだ。おまえらにジュース奢《おご》ってやるよ。サンプラザのロビーに自販機があるから、そこへ行って買ってきてくれ」

ほかの中学生たちがにやついていた。淳は顔色をなくしている。

カツがズボンの尻《しり》ポケットをまさぐった。

「あっ、いっけねえ。財布、忘れちまった」中学生たちが笑い声をあげた。「そういうことでよォ、立て替えといてくれ。こっちが四本、おまえらが二本、合計六本だかんな」

「そんな金ねえよ」淳が口を開く。頰をひきつらせていた。

「ぼくたちよォ。金ってえのは、都合をつけてくるもんなんだよ。中学に上がったら『ない』じゃ済まねえんだぞ」

「だったら、あんたら、自分で都合をつけてくればいいじゃん」

淳が言い返す。カツの顔色が一瞬変わった。しかし、すぐにわざとらしく目尻を下げた。

「あれえ、おまえ、いいボール持ってんじゃん。新品か、これ」明るい声で、淳のバスケットボールに手を伸ばす。「ちょっと触らせてくれよ」

淳はボールを抱きかかえた。体を捩《よじ》って隠そうとする。

「ケチケチすんなよ。来年は先輩後輩の仲になるんだぞ」

「やだよ」淳がとがった声を発する。

次の瞬間、カツの右足が動いた。淳の太ももに蹴《け》りが飛んだのだ。

「ナメてんじゃねえぞ、このガキが」

続いてカツの拳《こぶし》が、淳の腹部にめり込んだ。

二郎が生まれて初めて見る本格的なパンチだった。小学生の喧嘩《けんか》ではお目にかかったことがない、絵に描いたような一撃だ。

淳がアスファルトにうずくまる。ボールがこぼれ落ち、カツがそれを手にした。

二郎は呆然《ぼうぜん》と立ち尽くしていた。仕返しをしようとは露ほども思わなかった。それどころか足がすくんだ。自分もやられるのかと、指先が震えた。

「このボール、貸しといてくれ」カツが淳を見下ろして言った。「いいか、あくまでもレンタルだからな。獲《と》ろうってわけじゃねえんだぞ。誤解するな」

続けて二郎に向き直った。

「おまえが証人だ。これはレンタルだ」

二郎は反射的にうなずいていた。

「レンタル期間は、黒木が金を返すまでだ。おまえら黒木のダチだろう？　だったら連帯責任だ。黒木はおれらに千円借りがあってな、それがチャラになったらボールも返してやる。もっとも、おまえらが立て替えるって手もあるけどな」

カツが鼻で笑った。一歳ちがうだけなのに大人に見えた。

「黒木に言っとけ」ゆっくりとうしろ向きに歩き、やがて踵《きびす》をかえす。

中学生たちはがに股《また》で肩を揺すりながら、去っていった。

二郎が淳のところに駆け寄る。淳は目を真っ赤にしていた。唇は青かった。

「無茶苦茶じゃねえか」吐き捨てるように言った。

気の強い淳でも、どうにもならなかった。相手が悪過ぎたのだ。

「信じらんねえよ」腹を押さえ、顔をしかめていた。

二郎は、かける言葉が見つからなかった。同時に情けなさが込みあげた。親友を助けることもできなかった。淳がやられるのを、ただ黙って見ていたのだ。

胸の中で灰色の気持ちが渦巻いた。来年中学に上がると、あのカツという人と一緒になるのか。それを思うとたまらなく憂鬱《ゆううつ》になった。


翌日、淳と一緒に黒木のいる四組へ行った。廊下に呼び出し、昨日の出来事を話した。

黒木は顔を赤くすると、「おれは金なんか借りてねえよ」と不機嫌そうに言った。「まったくあの人はよォ。いつもおれをダシにしやがって」廊下なのにつばを吐いた。

「じゃあどういうことだよ」と二郎。

「カツさんのいつもの手だよ。金を巻き上げるとき、おまえの学校の誰某《だれそれ》に貸しがあるからって、代わりに自転車だの野球のグラブだのを取り上げげんだよ。それも『よこせ』とは言わねえんだ。レンタルだって言って学校にばれたときに備えるんだよ」

「じゃあ、どうすりゃあいいんだ」

「知るか。ボールぐらい諦《あきら》めろ」

「ふざけんな。買ったばっかだぞ」淳が黒木を睨《にら》みつけた。

「なんだ、おまえ」黒木が顔色を変える。淳の胸倉をつかんだ。

「待てよ」二郎が割って入り、手を放させた。「一度、黒木から頼んでみてくれよ。ボールを返してくれって」

「馬鹿野郎。そんなこと言ってみろ。今度は、おれに金払えって言うに決まってんだよ」

「おまえは断れないのか」

「逆らいたくないね」黒木は即座にかぶりを振った。「カッさんは凶暴でよォ、怒ると何するかわかんねえし、とても中一とは思えねえよ。おまけに三年に兄貴がいて、その人が全校をシメてるから、学校では怖いもんなしだ。二年の連中だって避けて通ってんだぜ」

「二千円もしたんだぞ。小遣いためて買ったんだぞ」淳が甲高い声を出す。

「だったら千円払って取り返せ。三千円したと思え」

「思えるか」

「おとなしく払った方がいいぞ」黒木がせせら笑って言った。「カッさんだってボールが欲しいわけじゃねえだろうし、そのうち別のインネンつけられるぞ」いつものように目をしばたたかせる。向井の言っていたチックというやつだ。「ま、気が変わったら、おれのところへ千円持ってこい。取り返してきてやるよ。へっへ」

黒木が教室へと戻っていった。

「先生に言ってみるか」二郎が言う。

「うん?」淳はしばらく黙ると、ため息をついたのち、「それはいいや」と乾いた口調で言った。

つげ口をしたらもっと面倒くさいことになる。二人ともそのことは充分予測できた。これまでにない難関だった。五年生までは、世の中に外敵がいるなんて考えもしなかった。

二郎もため息をついた。父の腕力があればなあ、と、なぜか父のことを思っていた。

6

淳のバスケットボールはまだ返ってこない。千円というお金は簡単に工面できないし、やすやす渡してしまうのも、つけ込まれそうな気がした。

淳は親に「欲しいのがなかった」とうそをついた。きっと自分でもそうするだろうと思った。

その場にいた手前、知らない顔はできなかった。不良中学生とかかわりたくないのはやまやまだが、親友を見捨てることはできない。淳が殴られるのを黙って見ていた負い目もあった。二郎は、自分のことのように憂鬱だ。

その日の放課後、ホームルームが終わると、南先生から職員室に呼ばれた。

「上原君、ちょっと」憂いを含んだ笑みを浮かべ手招きしている。

なんだろうと思ってついていった。今日の南先生は、白いジーンズに薄いピンクのシャツを着ていた。普段は化粧をしてないので大学生みたいだ。

職員室に入ると、大人とたばこの匂いがした。南先生に椅子を勧められる。机には原稿をコピーした紙の束があった。その癖のある文字を見て、いやな予感がした。

「実はね、昨日の放課後、上原君のおとうさんが学校にいらしたの……」

だあーっ。心の中で叫んでいた。

「小説が出版されるから、本になる前に読んで感想を聞かせてくれって」

恥ずかしさで顔が真っ赤になった。そんなこと、父はひとことも言ってなかった。帰ったら断固抗議してやる。どうして黙ってたんだ。

「それでね、ゆうべ布団の中で読んだんだけど、先生、正直言ってわからないの」

目を合わせられない。顔中に汗が噴き出てきた。

「先生、ミステリーなんかはわりと読むんだけど、純文学はあまり馴染《なじ》みがないから、うまく感想を伝えられそうもなくて……」

「はい」消え入りそうな自分の声だった。

「でも一応、感想文は書いたの。はい、これ」先生から封筒を手渡された。「おとうさん、また来るっておっしゃってたけど、その必要はないから」

封筒には、女らしい文字で「上原様」と書いてあった。

「それから、おとうさんに、学校にいらっしゃるときは事前に電話をくださいって伝えてくれる？　ほら、先生が留守だと無駄足になっちゃうでしょ」

黙ってうなずく。父の姿が目に浮かんだ。きっといきなり職員室の戸を開けたのだ。

「でも、すごいね。上原君のおとうさん、小説家としてデビューするなんて」先生がやさしく微笑んでいる。「それも文学舎からでしょう。一流の出版社じゃない。先生にはむずかしかったけど、小説をよく知ってる編集者が本にすることを決めたんだから、文学的価値があるんだと思う。もしかしたら有名人になっちゃうかもしれないね」

「はあ……」本当にそうなのだろうか。

「じゃあ、行っていいわよ」

原稿のコピーも紙袋に入れて渡された。会釈して職員室を出る。まったくもう、息子に恥をかかせて。腹の中で毒づいた。たぶん母も知らないことだ。知っていたら止めたに決まっている。

「上原君、なんか悪いことしたんでしょ」教室に帰ると、お手玉をしていたサッサとハッセから声がかかった。

「するか」

「じゃあ何よ」

「関係ねえだろう」原稿の入った紙袋をリュックに押し込む。でも、ちょっとだけ自慢したくなった。「おいサッサ。この前、うちのおとうさん、小説を出すって言っただろう。あれ、いよいよ決まったぞ」

「ほんとにィ？」

サッサが目を丸くした。ハッセも身を乗り出した。

「文学舎からだってよ」

「すっごーい」

予想以上に驚いてくれたので気分がよかった。

アガルタには寄らず、家に直行した。早速父に抗議する。

「おとうさん、昨日、学校に来たんだって」

「おお、南君、何か言ってたか」父は台所のテーブルで鼻毛を抜いていた。白いTシャツに穿《は》き古したジーンズ、素足、いつもの恰好《かっこう》だ。

「連絡もなく学校には来ないでくれって」

「そうか。じゃあケータイの番号を教えてくれって言っといてくれ」

「そういう話じゃなくて」ため息が出た。無言で封筒を差し出す。

父は手紙を開くと、椅子の背もたれに体をあずけ、頭をかきながら読んでいた。

「なんだ、文学がわかってないな」父が顔をしかめる。「少しは話の通じる女だと思っていたのに」

「南先生はミステリーが好きなんだって」二郎は冷蔵庫を開け、牛乳を飲んだ。

「くだらん。銀行強盗だの、放火事件だの、そんなちまちました犯罪小説を読んでどうなる。社会を啓蒙できないだろう」

「ぼくに言ったって知らないよ」

「一回、じっくり話をする必要があるな」

「だめだって。先生は忙しいんだから」ついでにウインナーを一本かじった。

「ところで、黒木っていうのはおまえの友だちか」

父を見た。足の爪を切り始めていた。

「ただの知り合いだけど」

「さっき電話があったぞ。まだ帰ってないって言ったら、じゃあいいですって」

「ふうん」気になった。黒木がうちに電話をかけてきたのは初めてだ。

「黒木って子、親はいるのか」

「どうしてそんなこと聞くの」

「小学生のしゃべり方じゃなかったからな。一人で生きてる、そんな感じだったぞ」

感想が見つからなかった。声でそんなことがわかるものなのか。

「そういう友人は大事にしろ」

「……」返事をしなかった。

リュックを置いてアガルタに行った。カウンター席の端で桃子が宿題を広げている。中では母が洗い物をしていた。

「ただいま」声をかける。父が学校に来たことは告げないことにした。

「おかえり。二十分ぐらい前だけど、淳君が来たよ。二郎君はいますかって」

母が振り返って言った。なんだろう。黒木といい、淳といい。胸騒ぎがする。

淳の家は近所なので行ってみることにした。

路地を自転車で駆ける。「楠田クリーニング」の前まで行くと、窓の向こうでランニングシャツ姿のおじさんがアイロンをかけていた。

「おじさん、淳君いますか」大声を出す。窓が開いて、おじさんは「友だちから電話がかかってきて出かけたよ」と教えてくれた。

「もしかして黒木って子ですか」

「さあ、どうだったかな。ちょっと低い声の子だったけど」

黒木だと確信した。礼を言ってまた自転車を漕ぐが、探すあてがあるわけではない。とりあえず中野ブロードウェイのゲームセンターをのぞいてみた。いなかった。もしやと思い、区役所の駐車場にも足を伸ばす。そこにもいなかった。

黒木に呼び出されて、いい話のはずがない。あのカツという不良中学生もからんでいるのではないだろうか。暗い気持ちが喉元《のどもと》まで込みあげた。

行くところがなくなり、向井の印鑑屋を訪ねた。向井は店番をしていて、椅子にもたれて漫画を読んでいた。

「おう二郎。印鑑をご所望か」呑気《のんき》な声を出す。

「そうじゃねえよ、淳を探してんだよ」事情を説明した。日曜日の中学生との出来事も、黒木に呼び出されたらしいことも。

「いかんな。そのカッってぃうのは家が土建屋でな。家族全員、気が荒いんだ」

「なんでそんなこと知ってる」

「うちの客だ。高い印鑑、いっぱい作ってくれるぞ。名簿を見れば住所はわかるけどな」

向井が棚からファイルを取り出した。ページをめくっている。「あった。中央六丁目。スーパーの裏辺りだ」

「どうすればいい？」情けないことを聞いていた。

「行ったところで、どうせそこには淳も黒木もいないだろうし」向井が腕組みし、首を左右に曲げる。「淳が帰ってくるのを待つしかないだろう」

どっと疲れが出てきた。店の椅子に腰を下ろす。

「なあ、向井」

「なんだ」

「こっちは悪いことしてないのに、攻めてくるやつがいるっていうのは、どういうことよ」

「そりゃあ、世の中、善人ばかりじゃないってことさ」

「納得できねえよな」てのひらで顔をこすった。

「だから、そのために警察や裁判所があるんだよ。社会の時間に習ったろう。日本は法治国家だって」

「じゃあ、国は必要なわけだ」

「ああ、そうだな。国がなくなりゃあ弱肉強食の世界だ」向井が苦笑する。「どうした、妙なこと聞いて」

「なんでもない」ため息をついた。

父の言うことは間違っている。国なんかいらない、なんて。

「先生に言った方がいいぞ。中学生にタカられてるって」

「でもよ、それでカッって人が改心するか？　仕返しされるに決まってるぞ」

「そうなったら今度は警察だ」

「警察だって中学生をいきなり牢屋《ろうや》には入れないだろう。だったらまた仕返しだぞ」

「くじけず警察に言う。根比べだ」

「その間に殺されたらどうなる」

「それは……」向井が言葉に詰まっている。

「法治国家もあてにならねえな」

やっぱりわからなくなった。

夕方になって家に帰った。アサリの味噌汁《みそしる》を作り、ハンバーグで御飯を三杯食べた。一杯減らしたのは淳のことが気がかりだったからだ。

「ところで二郎。おかあさんに聞いたんだが、修学旅行の積立金がやけに高いそうだな」

父がテーブルでビールを飲みながら言った。

「知らないよ、そんなこと」

「一泊二日の富士箱根旅行で一人三万五千円だ。今日びそれだけ払えばグアムにだって行けるだろう」

「そんなこと、ぼくに言ったって」

「うーむ。学校と旅行会社の癒着か……。これは調査する必要があるな」父が眉間《みけん》に皺《しわ》を寄せている。

「頼むから変なことしないでよ」睨《にら》みつけて牽制《けんせい》した。

そのとき玄関の呼び鈴が鳴った。旧式で音量調節もできないので、木造二階建ての隅々にまで音が行き渡る。もしやという思いがあり、二郎は玄関へと走った。

淳だった。表情を曇らせ、入り口に突っ立っている。

「黒木か。あのカッっていう中学生か」

「両方だよ」淳は吐き捨てるように言った。顎《あご》をしゃくる。「外で話そうぜ」

二人で近所の神社に行くことにした。空はまだ薄暮だが、木が生い茂っているので、そこだけすっかり夜になっている。賽銭箱《さいせんばこ》に淳が腰かけた。

「二週間以内に一万円、揃えろってよ」ぽつりと口を開く。

「なんだ、それ」二郎は驚いた。「どうして一万円なんだよ」

「知るか。とにかく、中央小で一万円。おれとおまえで集めるんだよ」

「おれも?」

「ああ。目が気に食わねえんだってよ、カツって人に言わせると」

「無茶苦茶じゃん」

「全部が無茶苦茶なんだよ、あの連中のやってることは」淳がズボンのポケットからカードの束を取り出した。「これ、渡された。全部で百枚。一枚百円で売りさばいて一万円にしろって」

二郎が手に取って見る。アニメのトレーディングカードだった。ただし、流行はとっくに過ぎているから誰も欲しがらないものだ。角がよれてて、汚れも目立つ。大方、どこかで拾ったか、古本屋でタダ同然で買ったものだ。

「で、どうするんだよ」

「やるしかねえだろう」

淳が顔を赤くして言う。怒気を含んだ声だった。

「やばいんじゃないのか」

「じゃあ、どうするんだよ」

「先生に言おうぜ」

「言ったらリンチ」淳が、二郎からカードを取り上げた。「そのあとで、うちの妹と、おまえン家《ち》の桃子ちゃんもいじめるってよ」

言葉が出てこなかった。桃子の顔が浮かぶ。背筋が寒くなった。

「兄妹まで調べてやがんだ。中一のやることか？　悪魔だよ」

「黒木はどうしてたんだ」

「横でニヤニヤ笑ってただけだよ。おれ、黒木は許さねえぞ。カタがついたら絶対に決闘してやる」

淳がその場にしゃがみ込み、カードを数え始めた。

「一、二、三……」

「何してんだよ」

淳は答えない。「二十三、二十四……」ひたすら枚数を数えていた。

「……四十九、五十、と」淳が腰を上げる。「じゃあ半分」そう言ってカードの束を二郎に差し出した。

「うそだろう？」信じられなかった。強引に手に押しつけられる。

「おれは、ブロードウェイで遊んでる五年生をつかまえて売りつける。おまえは向井とかリンゾウに買ってもらえ」

「そんなことできねえよ」

「だったら、おまえがカツのところへ言って断れ」

「いやだよ」

「勝手なこと言うな。こっちはボール取られて、殴られて、脅されて、散々なんだよ。その上、百枚全部おれに売りさばかせるつもりか」

「そうじゃねえけど」

「じゃあなんだ」

「ほかの手を考えようぜ」

「ないね。あるもんか。五千円なんて大金、どこを搾っても出てこねえんだよ」

淳が荒い息を吐いている。こんな淳を見るのは初めてだった。五年生に売りつける？　淳はそういうことができる人間なのか？

「じゃあな」

淳が石段を飛び降りる。振り返ることなく、走って神社を出ていった。

二郎は手に残されたカードを見た。喉の奥で何かが動き、さっき食べたハンバーグが逆流しそうになった。

憂鬱《ゆううつ》な気持ちが全身を支配する。今日はもう何もする気が起きない。早く布団を被《かぶ》って丸くなりたかった。

7

淳から受け取ったアニメのトレーディングカードは、見れば見るほどみすぼらしいものだった。角は擦りきれ、色も褪《あ》せている。なにより、とっくに流行の過ぎたキャラクターだ。道端に落ちていたって誰も拾わない。

翌朝、いつもどおり淳を誘いに行った。一人で登校しようかとも思ったが、どうせ教室で顔を合わせなくてはならない。感情を抑えて「楠田君」と玄関で名前を呼んだ。

出てきた淳は、ふだんの陽気さはなかったが、何食わぬ顔で昨夜のテレビの話などをした。

もっと気まずそうな顔をしろよと、二郎は不満を覚えた。淳が悪くないことはわかっていても、今の自分の窮状は到底納得がいかない。

カードを売って五千円を作ることは、二郎の選択肢にはなかった。向井やリンゾウといった仲間に泣きついたとしても、せいぜい千円が限度だ。あとは友人以外に売りさばかなくてはならず、断られるに決まっている。

「なあ、ゆうべ、考えたんだけど」二郎が話を切り出した。「二人で一万円は無理だって、カツに言ってみようぜ」

「おまえが言うのか」

「二人で言うんだよ」

「おれはいやだ」淳が電柱を蹴《け》った。「二郎は実際に脅されてねえから、そんなことが言えるんだよ」

そのまま押し黙る。学校に着くまで淳は口を利かなかった。

朝のホームルームでは、南先生が最近の国際テロ事件を引き合いに出して「暴力では何も解決しません」と言っていた。

話せばわかるというのは本当だろうか。そうあって欲しいと二郎は願っている。

向井には休み時間に打ち明けた。と言うより、頼れるのは向井しかいない。

「うーん」向井はむずかしい顔で唸《うな》り、しばらく宙を見つめていた。

向井でもだめか。吐息をつく。横を見たらリンゾウがすぐそばに来ていて、聞き耳を立てていた。

「とりあえず、どういう方法があるか考えてみよう」向井が、紙と鉛筆を用意した。「その一、五千円を作ってカツに渡す」

「どうやって作るんだよ」二郎が口をとがらせる。

「それも含めて考えるの」向井に手で制され、渋々口をつぐんだ。

「その二、先生に言う。仕返しされることについてはまた別に考える。その三、拒否する。暴力をふるわれても拒否し続ける」

言いたいことはいっぱいあったが、二郎は黙って聞いていた。

「その四、家出をする。ほとぼりが冷めたころ帰ってくる。その五、用心棒を雇う——」

二郎が顔を上げた。向井は鼻をひとつすすって話を続けた。「この前、バアちゃんに付き合って、黒澤監督の『七人の侍』をビデオで見てな。山賊から村を守るために、農民たちが七人の侍を雇う話なんだ。これが実にいい映画でな」

「おれも見たことある。で、七人も雇うのか」

「こっちは一人でいい。カツより強い中学生を用心棒につければな」

「心当たりは？」

「ないけど」

二郎は机に顔を伏せた。

「ハッセの兄貴、五中で柔道部のキャプテンだぞ」リンゾウが横から口をはさんだ。「おれ、近所だから見たことある。真四角」

「なんだそれ」と二郎。

「見た感じ。横幅が広くて真四角に見えるんだよ」

向井が教室にいたハッセに向かって聞いた。「おい、長谷川。おまえのおにいさん、柔道部のキャプテンか」

ハッセが振り返り、「そうだけど」と言う。

「ちょっと借りれないか」

消しゴム貸してくれ、そんな向井の口調だった。

「なによ、それ」

「会ってみたいんだけどな。いろいろあって」

「いろいろってなによ」

「とにかく、早急に紹介してくれないか。二郎を助けると思って。おにいさんには『彼氏を紹介したい』とか言ってくれ」

「げーっ。それ、上原君のこと」ハッセが顔をしかめる。隣にいたサッサは、ぎこちない笑みを浮かべた。

二郎も「頼む」と手を合わせた。女子たちに事情を説明するわけにはいかないので、中学の部活のことを聞きたいとうそを言った。週末の約束を取りつける。どうなるかわからないが、今は藁《わら》にもすがりたい心境だ。

「黒木は味方にできないのか」向井がぽつりと言う。

「できるわけないだろう。カツの手先なのに」

「敵方の結束を崩す、っていうのは効果的なんだがな」

「黒木なんか味方にしたくないね」

「あいつ、根はやさしい男なんだぞ」

「やさしい男が、どうしてこんな真似できるんだよ」

向井は下唇を剝《む》くと、傘張り浪人のような風情で顎《あご》をポリポリとかいていた。

昼休み、黒木に会った。向井の言葉はともかく、どうしてもひとこと言っておきたかったからだ。

四組のある一階の廊下に呼び出すと、いつものように目をしばたたかせ「なんだよ」と凄《すご》んできた。

「ひとつ聞いておきたいんだけどな、なんでカッって人は、おれにまで金を集めさせようとするんだよ」

「知るか」黒木が語気鋭く言った。「ちょっと目が合っただけで、よその学校の中学生をボコボコにするような人だぞ。理由なんかあるか。おまえが気に食わないんだよ。目も鼻も口も」

「おまえは気にいられてんのか」

「ああ、まあな」

「子分か」

「ナメんなよ」黒木が気色ばんだ。「おれは誰の子分でもねえよ」

「じゃあカッって人に仕返しなんか頼むなよな」

「なんの話だ」

「これが終わったら、おれと淳とで、おまえに決闘を申し込むんだよ」

黒木がたちまち顔を赤く染めた。「今すぐやってもいいぞ」

「終わってからだ」

「二人がかりでもいいぞ」

「じゃあそうしてやるよ」

「この野郎」黒木が歩み出る。

「おお、二郎じゃないか」そのとき外から声が飛び込んできた。心臓が破裂しそうになる。

「喧嘩か。負けるなよ」

太い眉《まゆ》に赤い髪。全体が浅黒い大男が、窓からひょっこり顔をのぞかせていた。

「おとうさん……」次の言葉が出てこない。

「小学校は子供の匂いがするな。成長ホルモンが全開している、そんな匂いだ。汗でも臭くない。おとうさんはすっかり気にいったぞ」

父は目を細め、深く息を吸っていた。

「だめだよ。勝手に入ってきちゃ」

やっとのことで口を開く。手で宙をかき回す。周囲を見回すと、父に気づいた生徒たちが、昼休みの闖入者《ちんにゅうしゃ》を怪訝《けげん》そうに眺めていた。

「なぜだ。公立学校だろう。私立の女子高じゃあるまいし」

「とにかく帰ってよ」声を低くして懇願した。カーテンを引っ張って父を隠そうとする。

「なんだ。おまえ、父親を邪魔者扱いする気か」手で払いのけられた。

黒木は、少し離れた所で、吠《ほ》える相手を失った犬のように立ち尽くしていた。

「南先生に会いに行ったりしたらだめだからね」いっそう声をひそめる。

「安心しろ、会うのは校長か教頭だ。この前言った修学旅行の積立金、どうにも納得がいかなくてな」

二郎はたちまち暗い気持ちになった。

「そこの少年」父が黒木に声をかけた。「喧嘩《けんか》するならしろ。遠慮しなくていいぞ。たとえ二郎が血まみれになっても、おれは手を出さんから」

「あ、いえ……」黒木が戸惑っている。

「おっ、昨日電話をくれたのは君だな。声で思い出した。親はなくとも子は育つだ。グレることなく真っすぐ育ってくれ」

「あ、はい」つい、といった感じで黒木が会釈する。

「じゃあな」

片手を上げ、父が踵《きびす》をかえした。サンダル履きで側溝をまたぎ、大股《おおまた》で校舎裏を歩いていく。

「おとうさん、お願いだから帰ってよ」

祈るような気持ちで背中に声をかけた。黒木は事態が呑《の》みこめない様子で、黙りこくっている。

「そういうわけで、決闘は日を改めてだ」と二郎。

「ああ」黒木がぼそっと返事をした。

三階の教室に戻り、椅子に深く体をあずけた。いつもなら校庭でドッジボールをして遊ぶところだが、今日はそんな気にもなれない。

淳は教室にいなかった。みんなと遊んでいるのだろうか。だとしたら神経がわからない。

「上原君」サッサから声がかかった。班で学級通信を作っていたらしい。

「ハッセのおにいさんに何の用なの」輪から抜け出し、そばまで来た。「中学にいったら柔道部に入るの？」

「ううん、そうじゃないけど」

「じゃあ何よ」

「べつに。なんだっていいじゃん」

しばしサッサが黙る。「こっちだってべつにいいけど」少し表情を硬くし、唇をとがらせた。「ハッセの彼氏だって紹介してもらうんだ」

「向井の冗談だろう。彼氏のわけないじゃん」

「でも、ほんとは気があったりして」

「ないよ」

鼻に皺《しわ》を寄せ、言い返した。サッサは「ふうん」とつぶやき、下を向いている。「わたしもいていい？」サッサが頬を赤くして言った。

「どこに」

「ハッセん家《ち》に行くんでしょ、今度の土曜」

「いいけど、おれらはハッセのおにいさんに用事があるんであって、ハッセと話をするわけじゃないから、相手にはなれないぞ」

「うん、いいけど」サッサが指で机をなぞっている。

「じゃあ、来いよ」

「うん、行く」

サッサはそう返事をすると、髪をふわりと浮かせ、班の仲間のいる方へ戻っていった。

なんだよ、変な女。二郎は髪をかきむしり、大きく息を吐いた。机に足を乗せ、目を閉じる。

先のことを考えると、やはり憂鬱《ゆううつ》だった。呑気《のんき》に遊んでいた昨日までの日々が、やけに貴重なものに思えた。この手の災難は初めての経験だ。これまでは、泣けば許された。大人がなんとかしてくれた。

鼻の下を手でこする。薄い髭《ひげ》が生えていた。最近、産毛にかすかな黒い色がつくようになった。

校庭で生徒たちのざわめきがあった。いつの間にか生徒たちの甲高い声がやみ、妙な静寂が周囲を支配している。みんなが何かを見守っている感じがした。

サッサたちが腰を浮かせ、なんだろうと外の様子をうかがった。

二郎もそうする。いやな予感がした。

開け放たれた窓から校庭を見下ろすと、職員室前の植え込みあたりで、数人の大人たちが揉《も》めている光景が目に入った。

真ん中にいるのは父だった。

だあーっ。二郎は思わず頭を抱えた。帰ってくれって頼んだのに。

脱兎《だっと》のごとく教室を抜け出し、階段を四段飛ばしで駆け降りた。

おとうさんめーっ。二郎は腹の中で怒鳴っていた。

一階で桃子と出くわした。「おにいちゃん」泣きそうな顔で訴えられた。

「おまえは教室にいろ。出てこなくていいから」

手で追い払い、校庭に出た。人の群れをかき分け、前に進んでいく。

男の先生たちに父は取り押さえられていた。父がいちばん大きいので、頭ひとつ抜き出ている。暴れる馬を懸命に押さえようとする足軽たちといった光景だ。

「だから校長に面会させろと言ってるだろう」父の大声が響いた。「税金で賄われていながら、市民の面会要求にも応じないというのか」

「おとなしくしろ。警察を呼んだぞ」六年の学年主任の先生が叫ぶ。

警察？　二郎はめまいがした。声をかける勇気が出てこない。おとうさんと呼んだ途端に、全員の視線がこちらに向くのだ。

「上原君のおとうさん」

そのとき声があがった。南先生だった。保健室の女の先生と二人並んで、驚きの表情で立っていた。

「おとうさん？」学年主任の声が裏返った。「保護者の方、なんですか……？」

沈黙が流れる。南先生がそばにいる二郎を見つけ、説明を求めるような目をした。つられて、そこにいる全員が二郎の方を見る。

「おお、二郎。こいつらにひとこと言ってやれ」と父。

「早く帰ってって言ったじゃない」冷たい汗をかきながら、低い声で抗議した。

「職員室の戸を開けて、校長はいるかと言っただけでこの騒ぎだ」

「保護者の方なら、最初からそう言えばいいでしょう」

学年主任が眉を八の字にして言った。先生たちが父を解放する。父は肩をぐるぐる回すと、「貴様が名乗らないからだ」と学年主任を睨《にら》みつけた。「『あんたは誰だ』と偉そうに言う。『人に名を聞くならまず自分から名乗れ』と言ったら、いきなり人を集めて取り囲む。失礼だと思わないのか」

「いや、あのね、上原さん。物騒なご時世なんですよ。校内で知らない人がうろうろしていたら、警戒するのが当たり前でしょう」

「それと貴様が名乗らないのと、どういう関係がある」

貴様だなんて、学校の先生に向かって――。だいたい父の人相風体なら誰もが警戒するに決まっているのだ。

「おとうさん」二郎は父に近づき、腕を引っ張って外に出そうとした。

「なんだ、二郎。おまえも無礼な教師に向かって何か言ってやれ」

無礼なのはおとうさんの方だ。桃子が登校拒否になったらどうしてくれる――。

恥ずかしさと怒りで、顔が真っ赤になった。

「どうした。怒ってるのか。おまえが怒る相手はとうさんじゃないぞ。聞け。学校は旅行会社と結託して、保護者に高額な旅費を払わせているんだぞ。当然、見返りがあってのことだ」

「そんな話ここでしないでよ」うしろに回り、お尻《しり》を押した。

「面会に応じない校長が悪い」と父。

「うるさい」二郎はとうとう声を荒らげた。先生たちは困惑顔で、ハタ迷惑な親子を見守っている。生徒たちは、あちこちでヒソヒソ話をしている。サッサたちの姿も見えた。

おかあさん——。母に助けて欲しかった。本当に、どうしておとうさんなんかと結婚したのさ。

南先生は心配そうに、父ではなく二郎を見ていた。同情されているのだ。「早く出ていけ」二郎が唸《うな》る。ますます腹がたった。そして悲しくなった。

父は嫌いだ。はっきりと思った。

普通のおとうさんがいい。会社へ行くおとうさんがいい。

目に滲《にじ》んだ涙を見せまいと、二郎は、父の背中に顔を押しつけた。

8

父は警察署に連行された。

お騒がせしました——。駆けつけた警官にひとつ頭を下げれば、きっとそのまま帰ることができた。小学生の二郎にもその程度の予想はついた。

しかし父は、待ってましたとばかりに警官たちを罵倒《ばとう》した。

「国家のイヌどもめ、そこで三べん回ってワンと言ってみろ」

目を真っ赤にして、わめき散らした。つばきを飛ばし、警官たちに食ってかかった。

国民年金の督促係とやり合うのとは態度がちがっていた。

役所の人には、遊びの部分があった。父には気持ちの余裕がなかった。相手の反応を観察し、楽しんでいるところがあった。しかし警察相手だと、父には気持ちの余裕がなかった。本気で猛《たけ》りくるっているのだ。

警官は、当然のように態度を硬化させた。なだめ役に回っていた年配のお巡《まわ》りさんも、ついには目を吊《つ》り上げ、「いい加減にしないと逮捕するぞ」と怒鳴った。

「できるものならやってみろ」父が負けずに吠《ほ》える。

その場で逮捕されなかったのは、南先生が割って入ってくれたからだ。

「子供たちの前で手錠なんか出さないでください」そのひとことに、警官は思いとどまった様子だった。

場所を応接室に移し、再び向き合うことになった。その後のことは知らない。警察署に連行されたところをみると、相当激しく抵抗したのだろう。

二郎は気分が悪くなり、午後の授業は保健室のベッドで寝ていた。

父の、狂気を見た気がした。肉親でも、手に負えないような。

「上原君、元気出して。おにいさんなんだし」

南先生に慰められた。その言葉に桃子を思い出したが、桃子は普通に授業を受けていた。

「大丈夫。女子がみんなやさしくしてくれたから」家で聞いたらそう答えた。桃子はクラスで愛されているようだ。

母には強硬に抗議した。「おとうさんに、二度と学校に来ないように言ってよね」と。

「わかった」母はそうつぶやき、表情を曇らせていた。「ごめんね」とも言った。

父はその夜、どこかへ出かけてしまった。映画でも見に行ったのだろう。

いなくてせいせいした。二郎には、父親の帰りが遅いサラリーマン家庭がうらやましくて仕方がない。


淳は本当に五年生にカードを売りつけていた。

放課後、中野ブロードウェイの階段の踊り場で、気の弱そうな五年生に金を出させている場面に出くわしたのだ。

「ほんとにやってんのかよ」

非難することもできないので、心配する口調で聞いた。

「二週間で五千円だぞ。一日三人に売って三百円作っても、十四日で四千二百円だろう。計算上では一日に三・五人のノルマだぞ」

淳はまるでセールスマンのようなことを言った。

「で、少しは集まったのか」

「今日は三人。あと一人やって、終わりだ」淳が指で髪を逆立てる。整髪料をつけているのが一目でわかった。迫力を出そうとしているのだ。「おまえはやってんのかよ」

「いいや。やってないけど」

「どうするんだよ。カツに刃向かう気か」

「そんなことまでは考えてないけど」

「ハッセの兄貴っていうのはアテにできるのか」

「わかんねえよ、まだ会ってないから」

「おれも、実は期待してんだけどな」

「ああ、そうだな」二郎は吐息混じりに答えた。

今の淳の姿を見たら、恨む気持ちはなくなった。むしろ、現実に向き合う行動力に二郎は感服した。自分は、いやなことを先送りしている。

「でも、どうやったら買ってくれるんだ」二郎が聞いた。

「おれは、『買わねえとヤキ入れるぞ』って素直に言ってんだけどな」

自分にそんなことが言えるだろうか。

「苦労してんだぜ。おれ、体が小せえから、見た目だけだと怖がってくんねえんだよ。だからジェルで髪を立てて、下から睨《にら》むようにしてな」淳が実演して見せる。「今度、眉《まゆ》でも剃《そ》ろうかと思ってんだけど、それで学校へ行ったら南先生になんか言われそうだし」

二郎に非難する気はなくなった。ことの善し悪しはともかく、淳は真剣だ。そして逞《たくま》しい。

「学校にばれないようにしろよ」

「おう、わかってる。あのカツってやつも悪知恵が働くよな。五、六年生で百円ぐらいなら誰もチクらねえこと、知ってんだよ」

「で、おれらには五千円か」

「人を見て吹っかけるんだろう。おれらは親や学校に言いっこないって見切ってんだよ」

「裏でもかくか」

「五千円以上に面倒なことになるぞ」

「そうだな」答えながら、淳が大人に見えた。

淳は「さてと、あと一人、カモを探すかな」と言い、階段を降りていった。

きっと小学生同士の百円玉のやりとりなど、小さなことなのだろう。正義とか良心とかを持ち出すほどの話ではなく、大目に見られる範囲なのだ。だから淳は迷わず行動に移した。これが万引きとか、盗みとかになれば、淳だってやらないだろう。

自分もやってみるか、と一瞬思う。

いや、でもタカリはタカリだ。

二郎の心の中はずっと曇りっぱなしだ。不良中学生と、地雷のような父。どっちかにしてくれよと神様に言いたくなる。

ハッセのおにいさんとは土曜の夕方会った。向井が付き添ってくれた。サッサもハッセの隣にいた。

ハッセの家のそばの公園で向き合うと、リンゾウが形容したとおり、真四角だった。首なんか探すのが大変だ。おにいさんの名前は「雅美《まさみ》」と言った。親もこうなるとは予想しなかったのだろう。

「うちのおにいちゃん、ハコって呼ばれてんだよ」とハッセ。なるほど、誰が見ても箱だ。

「男同士の話なんだよ」と、サッサとハッセは隅のブランコへ追い払った。

「部活について聞きたいんだって」ベンチに深くもたれ、ハコが口を開いた。間近で見ると、顔中ニキビだらけだった。

「すいません、それ、うそなんです」向井があっさり言った。「強い人に会いたかったんです」二人で正面に立った。

「ああ？」ハコが訝《いぶか》る。

「助けてくれる人を探してるんです」

向井が淀《よど》みなく言葉を発する。どうせ雇う金なんかないんだから情に訴えた方がいい、というのが向井の意見だった。二郎ももちろん異存はない。

「五中の一年にカツっていう人がいるの、知ってますか」

「カツ？　ああ、古田《ふるた》の弟な。小生意気なガキだろう」

「じゃあ、その古田っておにいさんの方は知ってますか」

「知ってるよ」

「仲がいいんですか」

「いや、同じ学校だから顔を知ってるって程度だよ。あの兄弟がどうかしたのか」

「実は、こいつが」向井が二郎を指差す。「弟のカツの方に脅されてるんですよ。古いカードを渡されて、一枚百円で売って五千円集めろって」

「マジかよ」ハコが表情を一変させた。

「本当はもう一人、淳っていうのも脅されてて、二人で一万円なんです」

「小学生相手になんてひでえことしやがる」

ハコの顔が赤くなる。二郎は気がはやった。ハコは怒ってくれている。味方になってくれるかもしれない。

「それで、親や先生にチクッたら、リンチにした上で妹をいじめるって言うし、こいつ、すっかり困ってて」

全部向井がしゃべってくれたので、二郎は横で首をうなだれていればよかった。

「よし、おれがひとこと言ってきてやる」

ハコが鼻の穴を広げている。思わず向井と顔を合わせた。なんて正義感あふれる素晴らしいおにいさんなんだ。二郎は跳びはねたい気分になった。

「あのカツって一年、前から気にいらなかったんだよ。三年に兄貴がいるもんだから、自分まででかい面しやがって」指の骨をボキボキと鳴らした。「兄貴も兄貴で態度が悪いんだよ。あいつらは弱い者いじめ専門だ」

世の中は捨てたものではないと思った。正義の味方は、必ずどこかにいるのだ。

「月曜日にでも弟の方に言ってやるよ。それでやめさせてやる」

「あの、ありがとうございます」うれしくて二郎の声が震えた。深々と頭を下げた。

「いいってことよ」ハコが照れている。

「やっぱり、武道をやっている人ってちがいますよね。人間が温かいっていうか、厚みがあるっていうか」向井が大人びた口調で持ち上げた。「ぼくら『兄貴』って呼びたくなりますよ」

「おう、いいぞ、呼んでも」ハコがにやけ顔で言った。わりと単純な性格らしい。「あはは」と声をあげて笑い出した。

ハコが去ったあと、ハッセにお礼を言った。

「ねえ上原君、何を頼んだの」

「関節技を教えてくれって頼んだの」

「なによ、それ」

「おまえの兄貴、最高だな」そう言うと、ハッセはおにいさんと同じ顔で照れて、「一応、馬鹿力はあるからね」とわけのわからない返答をした。

向井にも感謝した。「恩に着るよ」

「じゃあ印鑑でも作ってくれ」向井は白い歯を見せていた。

その夜、淳に電話で報告すると、受話器の向こうで小躍りするのがわかった。

「ハッセの兄貴って、そんなにいい人なのか」

「おう、四角いしな」

淳はすでに千二百円ほど集めてしまったらしい。「しばらく、学校帰りにコロッケ奢《おご》ってやるからよ」と申し訳なさそうに言っていた。たぶん、これくらいは許されるのだ。返そうとは二郎の方からも提案しなかった。

その晩は、久し振りに御飯を四杯食べた。四杯目は大盛りにして、生卵とふりかけをかけて胃袋にかき込んだ。

真夜中、父と姉が階下で口論していた。父の怒声と姉のキンキン声が二階まで届いてきた。

もう眠りについたあとだったので、はっきりと聞いたわけではない。夢ではないのはわかった。ときおり鮮明に、耳が二人の声を受け止めたからだ。

「信じらんない、会社帰りに人のあとをつけるなんて」

「心配してやったことだ」

「家族でも、やっていいことと悪いことがあるでしょう」

「あの男は許さん」

「どうしてそんなことが言えるのよ」

「ただでは済まさん」

「やめてよ」

こんな会話だった気がする。

おかあさん、止めてよ。また近所迷惑になるよ——。霞《かすみ》がかかったような意識の中、二郎はそんなことを思っていた。

もっとも朝になったら自信がなくなった。

姉は家におらず、父はいつもどおりの機嫌で新聞を広げていた。

母に「おねえちゃんは?」と聞いたら、「友だちの家にでも泊まったんじゃない」という答えが返ってきた。

そうだとすれば、昨夜の父との言い争いは、夢を見ていたということになる。

桃子に聞いたら「知らない」と首を振っていた。

朝御飯を三杯食べたら、そんなことは忘れてしまった。


月曜日、放課後になって南先生に呼び止められた。

「上原君、楠田君、ちょっと職員室へ来てくれる」

淳と二人、なんだろうと顔を見合わせ、南先生のあとをついていった。

職員室には見たことのない大人がいた。

「上原君と楠田君だね」やさしい声を出された。「悪かったね。うちの生徒が乱暴なことをして」

うちの生徒？　二郎の胸の中で灰色の空気がふくらむ。

「こちらは第五中学の生活指導部長をなさってる高橋先生」南先生が紹介した。「ねえ、どうして先生に教えてくれなかったの」表情を曇らせている。

まさかあのことが。でもどうして――。

「三年生の長谷川雅美君が教えてくれてね」と高橋先生。「ぼくは柔道部の顧問もやっているから」

だあーっ。ハコのことだ。二郎は目の前が真っ暗になった。

「古田克志《かつし》のことは、これから職員会議にかけて処分を決めるけど、少なくとも数日の出校停止処分にはするし、今後いっさいこのようなことがないよう、学校側から強く注意しておくから」

高橋先生がしゃべっている。淳は青い顔をしていた。二郎も同様だった。

注意したぐらいで、あの不良がおとなしくなるわけがない。逆恨みして、ひどい仕返しをしてくるにちがいない。大人はどうしてそんなこともわからないのか。

「上原君、楠田君。放課後、中野ブロードウェイのゲームセンターとかに出入りしてるんじゃないの。ああいうところは悪い子たちの溜《た》まり場だから」

続いて南先生が話したが、耳に入ってこなかった。大変なことになった。カツは激怒しているだろう。

区役所の駐車場で、淳をパンチ一発でアスファルトに沈めた、カツの凶暴な姿が脳裏によみがえった。また同じ目に遭う。今度は自分も。

それにつけてもハコだ。なにが「やめさせてやる」だ。四角いくせに、あっさり先生につげ口してるだけじゃないか。

「君ら仕返しが怖いかもしれないけど、そんなことは先生たちが絶対にさせないから。保護者も呼び出して、親からも厳重注意してもらって……」

大人たちは、自分が子供だった頃のことをどれだけ憶《おぼ》えているのだろう。これで解決すると信じているなら、昔はよほどのんびりした時代だったか、素直な少年少女たちの楽園だったにちがいない。

淳も同じことを考えているのか、唇を嚙《か》み締め、硬い表情でじっとうつむいていた。

今度は自分が責められる番だ。淳は金を集めてさっさとカタをつけるつもりだった。余計なことをしたのは自分なのだ。

五中の高橋先生からは、その後、事情聴取のようなことをされた。仕方がないので、淳がボールを取られた発端から、すべて二郎が説明した。

「これからはなんでも先生に相談してね」

南先生は、クラスの生徒から隠し事をされたのがショックらしかった。しきりに「先生って頼りにならない？」と言い、悲しそうな顔をした。

黙ってかぶりを振った。南先生の問題ではない。子供の世界では、大人は全員無力なのだ。たぶんうちの父だって。

帰り道、淳に謝った。

「いいってことよ」淳は力なく返事した。親友に借りができた気がした。

腹の虫が収まらなくて、夕方、ハッセの家の近くでハコを待ち伏せた。

「カッには言ってくれなかったんですか」遠慮なく抗議した。

「言ったよ。柔道場に呼び出してよ。そしたらあのガキ、なんてほざいたと思う?」ハコが目の周りを赤くした。「『センパーイ、ぼく、ナメられてんですかね』だってよ。頭に来て投げ飛ばしてやろうと思ったら、『ぼくとやるってことは、ぼくの兄貴ともやるってことですからね』とか言いやがって。それでおれもブチ切れたわけよ」

ハコはてのひらにパンチを打ちつけた。二郎が次の言葉を待つ。

「たまたま柔道部の顧問が生活指導で、おれらと仲がいいから、これは顧問に言った方があのガキには応《こた》えるだろうと思ってな――」

体の力が抜けた。頼んだ自分たちが馬鹿だった。ハコは脳味噌《のうみそ》も四角いのかもしれない。

カッの残酷な笑みが目に浮かんだ。

また晩御飯が三杯に減りそうだった。

9

カッの行動は素早かった。翌日には反応があった。

不良たちの中で一目置かれるには、きっとどれだけ早く仕返しを行うかが鍵《かぎ》となるのだろう。「そのうち」とか言っているやつは馬鹿にされるのだ。

ただし、本人ではなく手下が来た。黒木だ。昼休み、非常階段の下に、淳と二人で呼び出された。

「やってくれたよなァ、おまえら」ガムをくちゃくちゃと噛み、人の不幸がうれしくて仕方がないといった様子で、体をぶつけてきた。

「カッさん激怒。小学生にここまでコケにされて、おれも落ちぶれたもんだ、だってよ。山籠《ご》もりでもして修行し直すか、とかボヤいてたな」

してくれよ、山籠もり。二郎は、つい泣きごとを言いそうになる。

「坊主刈りだからな」黒木が両手で髪をひっつめて言った。「出校停止は五分刈りで、昨日、床屋で泣く泣くバリカンの餌《え》食《じき》になったわけよ。あの人、結構髪型とか気にしてたからな、それがいちばん頭に来てんだろうな」

黒木はガムを口の中で丸めると、花壇に向けてつばと一緒に吐き飛ばした。

「それって、おれのせいなのかよ」淳が低く声を発する。

おれの、という言い方が二郎にはつらかった。淳はまるで関係がない。話をややこしくしたのは自分なのだ。

「連帯責任なんだよ。先生がいつも言ってんだろう。自分さえよければいいってわけじゃねえんだよ」顔を赤くして凄《すご》む。ここ最近、黒木はますます柄が悪くなった感じだ。「もう余計なことを考えるんじゃねえぞ。柔道の黒帯が来ようが、ヨソの学校の番長が来ようが、カツさんには関係ねえんだからよォ。教師だって同じだぞ。カツさんは教師なんて一人も怖がってねえんだからな」

「もうしねえよ」と二郎。鼻から息を漏らした。

「当たり前だ。それより覚悟しな。一人五千円程度の話じゃ済まなくなったからな」

「どういうことよ」

「利子がつくんだよ、こういう真似をすると」黒木が顎《あご》を突き出す。「まずは坊主だ。今日明日中に床屋へ行って五分刈りにしてこい」

「勘弁してくれよ」淳が顔をゆがめた。

「だめだ。坊主頭になってカツさん家《ち》へ謝りに行け。金の話はそれからだ」

「もうやめようぜ」今度は二郎が言った。「おれと淳が坊主になったら、先生たちが疑うぞ。五中に問い合わせてまたやっかいなことになるぞ」

「知るか、そんなもん。言い訳なんかおまえらで考えろ」

「おまえは、なんでそんなにカツの肩をもつんだよ」

「そうだ、黒木は関係ねえだろう」淳も語気強く言う。

「カツさんには、普段からジュースとかタコ焼きとか奢《おご》ってもらってんだよ」

「うそつけ。おまえだってタカられてんだろう。サッサの誕生会のとき、千円取られてたじゃねえか」

「ほんとは子分なんじゃねえのか」

二人で交互になじると、黒木はいっそう顔を赤くし、淳の胸倉をつかんだ。「もう一回言ってみろ」

淳が向かって行きそうなので、二郎がすかさず間に入る。

「とにかく」黒木の手を放させた。「一人五千円っていうのはなんとかするから、それ以上のことはやめてくれ」

「おれに言ったって知るか。とにかくおまえらは頭を丸めるんだよ。今んところ、カッさんからの伝言はそれだけだ」

黒木はそう吐き捨てると、上履きを引きずって去って行った。

淳と二人でため息を漏らす。すぐ近くでは、低学年の生徒たちが縄跳びに興じていた。イーチ、ニーイ……。呑気《のんき》な下級生がうらやましかった。

「二郎、おまえン家、バリカンあるか」淳がぽつりと言った。

思わず淳を見た。「うそだろう？」

「じゃあどうすんだ」

二郎が返答に詰まる。アイデアなんかあるわけがない。

「おれは丸める」力なく淳が言った。「床屋代を浮かせようとして、おまえと切り合って、それで失敗したことにする」

淳は心からカッを恐れている様子だ。「……すまん」その言葉しかなかった。

「だから二郎も丸めろよ」

「ああ」肩が落ちる。髪型、ひそかに気にいっていたのに。

「マジな話、床屋代がもったいないから、バリカン探そうぜ。リトルリーグの連中に何人か坊主頭がいるだろう。そいつらに当たってみようぜ」

手分けして探すことにした。

坊主にするとして、そのあとはどんな要求をされるのだろう。無理難題を吹っかけてくるに決まっている。ますますいやになった。転校でもしたい心境だ。

向井には、また打ち明けた。

「二郎。これは先生に言った方がいいんじゃないのか。悪質過ぎるぞ」

「だめだ。カツは何度でも仕返しをしてくるよ」

向井はむずかしい顔で腕組みすると、しばらく唸《うな》ったのち、「先生に言わないとなると、もう方法はないわな」とつぶやくように言った。「ただし、一から十まで言いなりにはなるな。カモだと思われると、そのあとも金を要求される可能性があるからな。五千円は諦《あきら》めるけど坊主はいやだとか、坊主にするから金は半額にまけてくれとか、言うだけ言ってみろ」

それが言えれば苦労はないのだ。凶暴なカツに、取り引きなど通用するのだろうか。

三階の窓から外を見る。校庭の銀杏《いちょう》の葉が、五月の太陽にきらきらと輝いていた。その向こうは、うらめしいばかりの青空だ。

家に帰ると、父親が台所でテーブルに向かっていた。

「おう息子よ、貴殿の父君の小説がとうとうゲラになったぞ」

言われてのぞく。父の手元には、活字ばかりが印刷された分厚い紙の束があった。

「これで南の島だな。手始めに西表島《いりおもてじま》なんかどうだ」

南の島か。ほとぼりが冷めるまで、ぜひ行きたいものだ。

「評判になるぞ。上原一郎は一躍、時の人だ」父が遠い目をしている。やけに機嫌がよさそうだ「もっとも、その前に右翼が騒ぎ出すだろうから、その対策も必要だがな」真顔に戻り、ゲラに向かった。

よくわからないので、曖昧《あいまい》にうなずいておいた。冷蔵庫から牛乳を取り出し、コップに注いで飲む。口を手で拭《ぬぐ》ったら、唇が荒れているのか皮がくっついた。

「ああそうだ。おまえ、不良中学生にタカられてたんだってな」父が二郎を見もせずに言った。「おかあさんに聞いたぞ。南君が店まで来て報告してったそうだ」

返事をしなかった。過去形ではなく、現在進行形だ。

「そういうのは、今後は母親ではなく父親に報告するようにって、おまえ、南君に言っておいてくれ」

吐息をついた。息子のピンチをなんとも思っていないのか。

「戦うか、逃げるか、腹をくれ」と父。二郎は思わず顔を上げた。「このまま済むわけはないんだろう？　上原二郎、人生の正念場だな」

「ショウネンバって？」

「自分が試される場ってことだ」父はゲラに目を落としたままだ。

「ふうん」

「頭はやめとけよ」

「アタマ？」

「鉄パイプでうしろから闇討ちする場合だ。頭はもしものときがあるからな。おれのお薦めは膝《ひざ》の裏側だ。あそこは鍛えようがないから実にもろくてな。うまくいけば腱《けん》が切れてくれて三ヵ月は松葉杖《まつばづえ》だ。昔、民青の内ゲバに首を突っ込んだとき、改革派のリーダーをその手で引退させたことがある。闇討ちはショックがでかいうえに、致命傷をあえて避けるというのが、向こうには警告のように思えて、それが効くんだ」父が一人でしゃべっている。「やったあとは何も言わない方がいいな。人間、沈黙がいちばん怖いんだ。あれこれ想像しちまうからな」

二郎は戸棚に煎餅《せんべい》を見つけ、手を伸ばした。

「一発で仕留めて、黙って見下ろす。これで相手の恐怖は倍増だ」

かじったらシケっていた。でも全部食べる。

「あるいは落とし穴っていうのもいいぞ。漫画みたいだと人は馬鹿にするが、落ちたときのショックは本当にでかいんだ。何を隠そう、学生時代、駿河台《するがだい》のアジト前でおれが落ちてな。虚を衝《つ》かれるとはこのことだ。何が起きたか一瞬わからない。おまけに中は糞尿《ふんにょう》だ。一カ月は立ち直れなかったな」

父はずいぶんドラマチックな青春時代を送ってきたようだ。

二階の子供部屋へ行き、リュックを畳に下ろした。桃子の机に小さな手鏡があったので、それを拾い上げ、顔を見た。手で横鬢を梳《す》く。

今頃、淳はバリカンを探していることだろう。妙なところで行動力を発揮する男だ。最新式のものでも手に入れていそうだ。

ふと、廊下を隔てた姉の部屋に目が行く。最近、ほとんど顔を合わせていない。二郎が起きている間に帰ってくることはなく、朝は遅くまで寝ている。

そっと襖《ふすま》を開ける。下に響かないよう忍び足で中に入った。

とくに目的はない。ときどき姉の部屋に無断で入っては、人の秘密をのぞいたり、大人の女の匂いを嗅《か》いだりしている。

姉は、四畳半の和室を洋室風にして使っていた。といっても、壁にインドの織物が飾ってあったりして、本当は何風なのか二郎にはわからない。お香の匂いもする。

ベッドに腰かけ、なにげなく机の引き出しを見た。南京錠がかけてある。これまでなかったことだ。テーブルの小物入れにも鍵《かぎ》がかけてあった。

自分がときどき忍び込むことを、姉は知っているのだろうか。

いいや、証拠など残していないはずだ。それに見られて困るようなものなど、姉の部屋にはなかった。だいいちパソコンを手に入れてからは、手紙一枚ない。

まあ、いい。考えてもわからない。

姉は家族が邪魔なのだろう。父も、母も、弟妹も。

それより自分のことだ。鉄パイプか、落とし穴か。

鼻をひとつすする。無理に決まってるじゃん——。

ベッドに寝転がり、天井を見た。昔の世界地図が貼ってあった。日本列島が載っておらず、大陸は三つしかなかった。

10

「おい。なんで坊主にしてねえんだよ」

休み時間、黒木がわざわざクラスにやってきた。派手なシャツにブカブカのズボンといういでたちだ。サッサとハッセは身を寄せ、険しい顔の闖入者《ちんにゆうしや》を遠巻きに眺めている。

淳と二人で、廊下に出て相手になった。

「バリカン持ってるやつを探してんだよ。少し待ってろ」と二郎。

「床屋へ行け、床屋へ」黒木が苛立《いらだ》った口調で言った。

「金がかかんだろうが。そんな金どこにある」淳はいつもの喧嘩腰《けんかごし》だ。

「情けねえ野郎どもだな。ツケのきく床屋ぐらいねえのか」

「小学生で、そんなもんあるか。馬鹿」

「馬鹿とはなんだ」

たちまち黒木が色めき立つ。ここ数日は毎度このパターンだ。

「なあ、黒木。カツに言ってみてくれないか」二郎は向井の助言を思い出した。「金は作るから坊主はなしにしてくれって」

「ふざけるな。おまえらは今日中に頭を丸めるんだよ」

「じゃあ、頭は丸めるから、金は半額にしてくれ」

「ロッテリアじゃねえんだ。そうはいくか。だいいち、おれに言ってもしょうがねえだろう。カツさんに言え、カツさんに」

黒木が目を吊《つ》り上げていた。この男は日に日に人相が悪くなる。

「おまえは使者だろうが」

「だめなもんはだめだ。バリカン、おれも知り合いに当たるからよォ、今日中には丸めろよな」

なぜか協力的なことを言った。

「なんで今日中なんだよ」

「さっさと済ませた方がいいだろうが」

ふと黒木の手元を見る。カメラ付きの携帯電話が握られていた。

「もしかして、坊主になったおれらを写真に撮って、カツにメールで送るのか」

「ああ、そうだよ。カツさんが家で待ってて、今日中って約束なんだよ」

「それで急《せ》かせてんのかよ」

「約束じゃなくて、命令なんだろう」淳が口をはさむ。「いよいよ子分だな」

「なんだと、おい」

「大方、『今日中に坊主にできなきゃ、代わりにおまえが坊主だ』とか、言われたんじゃねえのか」

黒木が顔色を変えた。頬をかすかにひきつらせている。

「ふん、図星だ」淳が目を見開いて言った。次の瞬間、黒木のパンチが淳の頬に命中する。淳が黒木に飛びかかった。

「待てよ」二郎が割って入る。誰かの肘《ひじ》が顔面に当たった。視界に銀粉が舞う。

「落ち着け、落ち着け」いつの間にか向井がいた。黒木を押さえつけている。

「殺すぞ、この野郎」黒木が声を震わせた。

「殺してみろ」淳がわめく。

みんなが遠巻きに眺めていた。女子たちは怯《おび》えた様子で固まっていた。校舎にチャイムが鳴り響く。廊下にいた生徒たちが一斉に教室へ入っていった。

「黒木、おれと少し話をしよう」と向井。

「話すことなんかねえよ」黒木は、向井には声を荒らげなかった。呼吸を整え、踵《きびす》をかえす。「放課後、バリカン探してまた来るからな。逃げんなよ」そう吐き捨て、大股《おおまた》で去っていった。

「黒木から先に坊主にさせるぞ」淳が鼻息荒く言う。唇に血が滲《にじ》んでいた。「こんな真似されて黙ってられっかよ」

淳の言ったことはたぶん当たりだ。カツは黒木にも容赦がない。人を困らせてよろこぶような、残忍な男なのだ。

放課後になると、淳はさっさと帰ってしまった。

「カツは怖いけど、黒木が坊主にされるんなら我慢する」

まるで小便でも我慢するような口調で言うと、教室を駆け出していった。

二郎は残った。ウサギ小屋の掃除当番で、係の先生のハンコをもらわなければならないからだ。小学生はなんて不自由なのだろう。

「まあいい、おまえだけでも」黒木は再び現れると、眉間《みけん》に皺《しわ》を寄せ、二郎の腕をつかんだ。「乾物屋の、マサん家《ち》にバリカンがあったんだよ。これから一緒に行くからな」

「逃げやしねえよ」その手を振りほどく。「ただし金は半額にしてくれ。五千円なんて死んでもできない」

「そんなこと、おれに言うな。おれは決められねえんだ」

「ひとつ聞いていいか」

「なんだ」

「おまえは、こういうこと、やりたくてやってんのか」

黒木が言葉に詰まった。黙って二郎の胸のあたりを睨《にら》みつけている。

「昔のクラスメートにこういうことして平気なのか」

「うるせえよ」低い声で言った。「やりたいわけねえだろう」

「じゃあカツなんかと付き合うな」

「放っとけ」

「こっちへ戻ってこい」

「黙れ」

「おまえがカツと縁を切るなら、おれは坊主になってやる」

「どうしてそういう話になるんだよ」黒木が口をとがらせる。ただし怒った様子はない。

「おまえが心配だからだ」無意識に出た言葉だった。言った二郎本人が驚いている。「このままいくと、盗みの手伝いとか、婦女暴行で足を押さえる役とか、罪になることいっぱいやらされるぞ。少年院に入れられるぞ」

「おれはやらねえよ、そんなこと」

「でも今、こうやってカツの言いなりになってるじゃないか」

「別に言いなりじゃねえよ」

「言いなりだろう。淳とおれの坊主頭の写真、メールで送らなきゃ、おまえが坊主にされるんだろう」

黒木が頬を痙攣《けいれん》させた。目の奥で狂気が一瞬顔をのぞかせる。

「おい上原、ナメんなよ。おれはな、簡単に言いなりになるような男じゃねえぞ。相手が中学生でも、いくときはいくからな」

「だったらこれから見せてみろ。カツのところへ一緒に行こうぜ」

「話がちがうだろう」

「ちがわねえよ。よし、そこで二人で頭を丸めっこしようぜ」

「どうしておれが――」

「おれだって坊主になるいわれなんかねえよ。二人とも、カツの気まぐれに振りまわされてるだけだ」正面から見据えて言った。黒木は目をしばたたかせている。「カツの前で、『これから二人で坊主になるから、もう構わないでくれ。縁を切らせてくれ』って言おうぜ」

「おれは坊主になる気なんかねえんだよ」

「じゃあ、おれだってない」

「ふざけるな。おまえは坊主になるんだよ」

「いやだ。おまえと二人でならいいけど、一人じゃいやだ」

黒木が深くため息をつく。両手で髪をかき上げ、落ち着きなく周囲を歩きまわった。

「黒木、チャンスだぞ。カツと縁を切ろうぜ。前みたいにおれらと一緒に遊ぼうぜ」

一人で逆らう勇気はないが、黒木と二人ならやれそうな気がした。

「向井が言ってたんだ。黒木は本当はやさしいやつだって。おれもそう思うぞ」

芝居じみた台詞《せりふ》がすらすら出てくる。

「髪なんかすぐ生えるぞ」

黒木が二郎を見た。何か言葉を探しているといった様子だ。「カツさん、怒ると何するかわかんねえぞ」訴えるような目で言った。

「でも殺しはしねえだろう」

「わかんねえんだよ、あの人は。かっとなると見境がなくなるから」

「子犬でも連れていくか。誰でも目尻《めじり》が下がる可愛いやつ」

「どっからそういう考えが浮かぶんだ、おまえは」

黒木がまた黙った。今度は爪を嚙《か》み始めた。額には汗が滲んでいる。

「賭《か》けてもいい。二人揃ってぶっ飛ばされるぞ」顎《あご》を突き出して言った。「カツさんの部屋は離れにあってよォ、仲間のたまり場なんだ。今日だって何人かいるはずなんだ」

「じゃあ無視しようぜ。おれは帰る。おまえもそうしろ」

「そうはいくか。おれは、おまえの坊主頭の写真を送らなきゃなんねえんだよ」

「世話のやけるやつだな」

「何言ってんだ。どうしてそういう話になるんだよ」黒木が顔をしかめている。

二郎はリュックを背負うと、校門に向けて歩き出した。

「とりあえずバリカンを借りに行こうぜ。カツにどうやって切り出すかは、道々考えればいいだろう」

　黒木は不服そうにあとをついてくる。「おい、話、ちがわねえか?」ととがった声で言い、しきりに首を捻《ひね》っていた。

　カツは怖いが、妙な開き直りもあった。こんな憂鬱《ゆううつ》な日々はさっさと終わらせたい。すがすがしい気分で、毎日たくさん御飯を食べたいのだ。

　カツの家は、早稲田通りに面した小さなビルのすぐ裏手にあった。外壁が汚れ放題のそのビルは、カツの父親が経営する土木工事会社らしい。テニスコートほどの裏庭には、建材が山と積まれている。隅に物置といってもいいような朽ちかけたプレハブ小屋があり、そこがカツの部屋だと、窓に貼られたドクロのステッカーでわかった。

　隣で黒木が喉《のど》を鳴らす。二郎も生唾《なまつば》を呑《の》み込んでいた。

「ちょっと待ってろ」黒木が手で二郎を制し、近づいていく。窓をコンコンと叩《たた》き「カツさん、おれです」と低くささやいた。

　窓が開く。坊主頭のカツが顔をのぞかせ、すぐさま二郎に視線を投げかけた。

　急所がひょいと持ち上がる。久し振りに見たカツは、今まで以上に迫力があった。坊主頭は、可愛くなるタイプと人相が悪化するタイプとに分かれる。カツは完全に後者だ。おまけに眉《まゆ》を剃《そ》っていた。親はどうして咎《とが》めないのか。

　カツに顎をしゃくられ、二郎は歩み出た。険しい表情で睨みつけてくる。心臓が高鳴り、膝《ひざ》が少し震えた。

「なんだ、まだ毛が生えてるじゃねえか。さっさと丸めねえと、おれが安全カミソリでスキンヘッドにするぞ」

窓の縁に足を乗せ、スリッパのまま外に出てきた。部屋の中にはもう一人、仲間の中学生がいた。細い目をしたその男も、窓を飛び越えカツに続く。

「坊主にしたら、全部なかったことにしてくれますか」硬直した体で二郎が言った。声がうわずっている。

「あ? なんの寝言だ。坊主はスタートラインだ。そこから話は始まるってことだぞ」黒木の数倍も鋭利な声だ。剣のように空気を切り裂き、二郎の耳に突き刺さってくる。

「ぼくと黒木で坊主になったら、もうぼくらには構わないでもらえますか」

「ぼくと黒木?」

「黒木を仲間から外してやってください。もう誘わないでやってください」喉がからからに渇いた。口をパクパクさせている。

カツが黒木を見た。

「あ、いや」黒木が目を見開いた。「ちがうんです、カツさん」顔の前で手を振っている。

「なんだ、おまえ。さんざん可愛がってやったのに」カツが黒木に歩み寄った。

「だから、ちがうんです。おい上原、ふざけんなよ。おれを巻き込もうとしてるだろう」

「黒木、決断しろ。カツの子分みたいな真似はいやだって言ってただろう」

次の瞬間、カッの右腕が動いた。黒木が体を折る。腹にパンチがめり込んだのだ。

「まあいい。黒木、おまえも坊主にしろ」続いて太ももを蹴飛《けと》ばした。「おれはな、チョー機嫌が悪いんだよ。髪の毛が生えているやつを見ると、片っ端からからみたくなるんだよ」平手を黒木の頰に当てる。乾いた音が高く響いた。

黒木が表情を一変させる。顔を真っ赤にし、激しい目でカッを見据えた。

「なんだその目は。何か文句でもあるのか」膝蹴りを連続して繰り出す。黒木が前かがみの姿勢で後退した。「意見があるなら言ってみろ。聞いてやるぞ」

二郎は呆然《ぼうぜん》としていた。淳が殴られたときと同じだった。血の気がひき、足の裏が地面に貼りついたように動けない。

黒木はされるままになっていた。ただ目は抵抗の色合いが強く、それがカッは気に食わないようだ。「なんだその目は」という台詞を連発して、攻撃を加えている。

フェンスの所まで追い詰められ、黒木は膝をついた。みぞおちを押さえている。

「やだやだ。ガキを相手に本気になって」カッが鼻をすする。「おれも落ちたもんだ」だるそうに言い、二郎に向き直った。

ゆっくりと近づいてくる。二郎は歯を食いしばった。すぐ目の前に来たところで、カッの回し蹴りが腰に当たった。

「一人一万で勘弁してやろうと思ってたのに、気が変わっちまったじゃねえか」

アッパーで繰り出した拳《こぶし》が腹に命中する。激痛に顔をゆがめた。

「もうおまえらは許さん。体で稼いでもらう」髪をつかまれる。積まれた鉄骨に押しあてられた。「大久保に変態のオッサンたちがいてな。毛の生えてないチンチンをいじらせてくれたら一人五千円払うって言ってんだ。十人はいるそうだから、おまえと黒木と楠田でいじられてこい。一人五万は稼げるだろう」

カツが残酷に笑った。こいつは中学生じゃないと思った。生まれついての悪党の、中一のときの姿なのだ。

膝蹴りがみぞおちにはいり、二郎はうずくまった。酸っぱい液が喉元まで押し寄せてくる。

「ところで上原、おまえン家《ち》、線路沿いで喫茶店やってんだってな」言葉が上から降ってきた。「だったら、おまえのおふくろの実家、四谷《よつや》だろう。知ってるぞ。おれの祖母《ばあ》ちゃんの家が四谷の荒木町《あらきちょう》でな、おまえのおふくろ、有名な呉服屋の娘だったそうじゃねえか」

二郎の知らない話だった。母親の実家の話など聞いたことはない。お祖父《じい》ちゃんもお祖母ちゃんもいないと、小さい頃から教えられてきた。

「聞いたぞ。おまえのおふくろ、昔、刑務所に入ってたんだってな」

カツを見た。目を吊《つ》り上げて笑っている。

「うそつけ」二郎が言った。自分の声の気がしなかった。

「おふくろに聞いてみろ。若い頃、人を刺したんだってよ」

「うそだ！」叫びながら立ち上がった。カツに飛びかかった。

「なんだてめえ。逆らう気か」カツが声を荒らげる。

「うそだ！　うそだ！」二郎の中で激情が込み上げた。生まれて初めての昂《たか》ぶりだった。

カツの首にしがみつき、渾身《こんしん》の力で押し込んでいった。たちまちフェンスまで到達する。

「この野郎、馬鹿力出しやがって。おい、ケンジ、こいつを離せ」

それまで見物していた細い目の中学生が駆け寄ってきた。うしろから羽交い締めにされる。ただしそれは数秒だった。黒木が割って入ったのだ。

「カツさん、おれ、やっぱりグループから抜けさせてもらいます」思い詰めた表情で言った。

「何言ってんだ、この野郎。忙しいときに」

「坊主になってもいいから、縁を切らせてもらいます」

「おい黒木、このガキをぶちのめせ。そしたら幹部にしてやるぞ」

「もう電話しないでください。金を集めろとか、ガムを万引きしてこいとか、そういうの——」

「いい加減にしろ、てめえら。おれを本気で怒らすなよ」

カツは二郎の手を振りほどくと、素早く横に走り、廃材の山から鉄筋を抜き取った。

「この小学生どもがっ」

黒木の側頭部に命中した。耳から鮮血がたれてくる。黒木は信じられないといった体で傷口を押さえ、その場に立ち尽くしていた。

「次はおまえだ」

ヒュン、と空気が鳴って、そののち二郎の左手に衝撃が走った。反射的に頭を守ろうと上げた手に、鉄筋が当たった。とくに痛みはない。全身が感覚を失っていた。

「おい、カッ。さっき言ったこと取り消せ！」二郎が声を張りあげた。

「カツだと？　きさま殺してやる」

カッが鉄筋を振りかぶる。二郎は逃げるのではなく、正面から飛び込んでいった。体を伸ばしたカッに体当たりして、そのまま後方へと倒れる。ゴン、と音がした。

カッが地面に後頭部を打ちつけたのだ。次の瞬間、横から二郎が押し飛ばされる。黒木だった。黒木がカッに馬乗りになった。

顔を真っ赤にしてパンチを繰り出した。「この野郎、この野郎」声を震わせている。耳から流れる血が、カッの顔にかかっていた。

カッは抵抗らしい抵抗をしていない。両腕で頭を抱え、低くうめいていた。

もう一人の中学生は、青い顔で立ち尽くしているだけだった。たぶん、ただの使いっ走りなのだ。

「おい、黒木」やっと我に返り、二郎は黒木に駆け寄った。背中を抱きかかえ、カッから引き離す。黒木の荒い息を顔に感じた。

見下ろすと、カッが仰向《あおむ》けに倒れていた。ピクリとも動かない。

頭のうしろの砂利が血に染まっている。血とはこんなに赤いのか――。二郎はやけに場違いなことを思った。空でカラスが鳴いていた。早稲田通りの車の音が、徐々に大きく聞こえてくる。

黒木が肩で息をしながら、歩き出した。二郎も無言であとに続く。

カツの家の敷地を出た。どちらからともなく二人の歩幅が増していった。

黒木が走り出した。

もしかすると、二郎が先に走り出したのかもしれなかった。

たちまち全速力になった。通行人をかき分け、二人で早稲田通りを走った。

心臓の鼓動が鼓膜を内側から鳴らしていた。

適当な感情が湧いてこなかった。

11

気がついたらどこかの公園にいた。神社と隣り合わせらしく、木々の隙間から古びた鳥居が見える。ドッジボールのコートもとれないような、小さな公園だった。誰も遊んでいないのは午後五時をとっくに過ぎているからだ。初めて入る場所だが、位置の見当はついた。黒木の家のそばだ。ということは、黒木のあとをついてきたのだろうか。

その黒木が水飲み場で腰をかがめていた。勢いよく放たれた水が、足元で弾《はじ》け散っている。飲んでいるのか、浴びているのか、顔も髪も水浸しだった。

二郎はふらふらと近寄ると、体で黒木を押した。黒木が踏ん張り、蛇口を譲るまいとする。無言でもう一度押し、今度は場所を奪い取った。

両手で器を作り、あふれる水に口をつける。いくらでも喉《のど》を通った。永遠に飲み続けられるのでは、という錯覚に陥った。

南から風が吹いてきて、木々の葉が順にがさがさと鳴った。横を見ると、黒木がベンチに深くもたれ、荒い息を吐いていた。

二郎は水道を止めると、地面に尻餅《しりもち》をついた。後ろ手で体を支え、足を投げ出す。二人とも黙ったままだった。視線が宙を泳ぎ、どこにも定まらない。大地が揺れているような錯覚を覚えた。

日が暮れかかっていた。東の空にはすでに星が瞬いている。

黒木と目が合ったが、すぐにかわされた。いつも以上に目をしばたたかせている。二郎は言葉を探した。なんでもいいから、口を開いて声を発したかった。しかし何も浮かんでこない。頭がうまく働かない。

しばらくして黒木が立ち上がった。硬い表情で公園を出ていく。二郎も慌ててあとに続いた。

黒木は早足で通りを突き進んだ。まるで競歩のようだ。商店街に入っても速度を緩めず、買い物のおばさんたちを避けながら歩いていく。二郎は考えもなく追った。

路地を右に左に曲がり、一軒のモルタル造りのアパートにたどり着いた。弥生荘《やよい》という看板を見上げ、ここが黒木の家であることを思い出す。

黒木が振り返り、「なんだ」と言った。人の声が懐かしかった。

「帰るのか」二郎はこんな問いかけしかできない。

「馬鹿言え。逃げるんだよ」黒木は荒い息を吐きながら言った。「もうすぐ夏だし、野宿したって凍え死んだりはしねえだろう」

「どうすんだよ」

「逃げるんだって言ってんだろう」黒木が苛立《いらだ》った様子で声を荒らげた。

「どこへ」

「知るか。おまえもウロウロしてっと警察に捕まるぞ」

警察という言葉を聞き、胸に刺すような痛みが走った。血の気もひいていく。

「いっぺん一人で岐阜の大垣《おおがき》まで行ったことがあんだよ。東海道線で。寝てる大人の隣で自分も寝たふりすれば、車掌にも怪しまれずに済むんだ」

「学校、どうすんだよ」

「馬鹿野郎。逮捕されたら学校どころじゃねえだろう」

「おれはどうすればいい？」アパートの外階段を上がろうとする黒木に聞いた。

黒木が振り返る。「来るか」真顔で言った。その言葉を聞くなり、真っ先に母の顔が浮かんだ。続いて桃子、姉、そして父。

「おまえ、おかあさんはいいのか」

「どうせおれなんか邪魔だからよ。いなくなってよろこぶさ」

「そうなのか」

「いちいちうるせえな、おまえは。おれは金を取ってくっから、その間にどうするか決めろ」

「なあ黒木」

「なんだ」

「死んだかな」

黒木は答えなかった。赤い目で二郎を睨《にら》むと、踵《きびす》をかえし、タンタンと音を立てて階段を駆け上がっていった。途端に心細さを覚えた。一分たりとも一人になりたくない。自分はどうすればいいのか。また家族の顔が次々と浮かんだ。振り払うように頭を揺する。喉の奥から、切ないような、叫び出したいような感情があふれ出てきた。

黒木はすぐに戻ってきた。新たにスカジャンを羽織っている。怪我をした耳には絆創膏《ばんそうこう》。右手には別のジャンパーがあり、「ほれ」と言って投げ渡された。

「上原は家出したことあんのか」

「いいや」二郎はかぶりを振った。

「おれは三回ある。任せとけ」

「どうやって生きてくんだ。おれら、まだ働けねえぞ」

「ホームレスのおっさんたちと仲良くなれば、いろいろ世話してくれんだよ」

黒木が二つ三つ年上に見えた。柄の悪さも頼もしかった。

「行くぞ」黒木が先に歩き出した。もう帰るとは言えなかった。それ以上に、ろくな判断力がなかった。どこか地に足が着いていないところがある。音までこもって聞こえる。

黒木のあとを追いながら、ポケットをまさぐった。硬貨が数枚あるだけだ。

「おい。おれ、五百円ぐらいしかないぞ」

「じゃあ貸してやる。おれは二万ある。家の金をガメてきた」

「叱られねえか」

「てめえは馬鹿か。家出するんだぞ。もう会わねえんだよ」

返す言葉がなく、二郎は押し黙った。

通りからコンビニの店の中の時計が見えた。午後六時半を回っていた。

桃子は一人で味噌汁《みそしる》が作れるだろうか。父がやってくれるといいのだけど。

すぐ前方に中野サンプラザがそびえ立っている。窓の冷たい明かりを見ていたら、いっそう心細くなった。


東京駅は家路を急ぐサラリーマンやOLであふれかえっていた。子供の姿はほとんどない。みんな真っすぐ前を見て、早足で歩いている。

「おい、きょろきょろするな」黒木に耳打ちされ、背筋を伸ばした。明らかに自分たちは浮いている。そうなると駅員と擦れちがうだけで緊張した。適当な大人を見つけ、すぐうしろでその人の子供のふりをした。

「こっちだ」黒木に導かれ、東海道線のホームに立つ。

「おい、おれら、百五十円の切符しか買ってねえぞ」

「電車賃なんかに貴重な金を使えるか。キセルすんだよ。車掌が来たら、隠れるからな」

「どこへ」

「トイレとか、網棚とかだ」

「網棚って」二郎が目を剝《む》いた。

「うるせえな。たとえばの話だよ」黒木はゴミ箱から少年マガジンを拾い上げると脇にはさんだ。「塾帰りみたいな顔しろ。そわそわしてるのがいちばん怪しまれるんだ」

不良のなりして塾帰り？　無理もある気がしたが従った。二郎も漫画を探し、二人で小田原《おだわら》行きの電車に乗り込んだ。大垣行きというのは夜行らしい。それまで待つわけにもいかず、黒木の提案でとりあえず東京を離れることにした。

東京、離れるのか――。突然、大きな感情に襲われた。頭の中でティンパニーが連打されているような。

けれど具体的な感想は浮かんでこない。脳が何かを拒否していた。その先を考えまいとしていた。けたたましい電子音が鳴り、電車が動き出した。思わずつばを吞《の》み込む。

四人がけの椅子が並ぶ車両の中は大人だらけだった。ヤニ臭さが充満している。会話を交わす人はなく、みな仏頂面で視線を合わせないようにしていた。

黒木は通路に場所を確保すると、椅子にもたれ、何食わぬ顔で漫画を読み始めた。二郎がまごついていると、黒木は「家へ帰る顔をしろって。おまえはどこかへ行く顔をしてんだよ」と、顔を寄せて低く言った。家出の経験者は、きっとそうやって多くの関門をくぐってきたのだろう。

二郎も黒木と並んで漫画雑誌を開く。もちろん内容は何も入ってこない。鼻の頭から汗のしずくが落ち、紙に滲《にじ》んだ。シャツの袖《そで》で拭《ふ》く。窓の外に目をやる。見えるのはビルの明かりばかりだ。ガラスに自分の顔が映っていた。蛍光灯のせいか、死人のように青白く見えた。

大人たちは誰も二郎たちに関心を示さなかった。まだ遅くない時間が幸いしているのだ。これが九時とか十時になったら、きっと誰かが声をかけてくる。

本当に、なんて子供は不便なのだろう。神様に抗議したくなる。

電車は品川を過ぎ、沿線には民家が増えていった。窓の明かりが周囲の闇をいっそう浮き立たせている。晩御飯を食べていないことを思い出した。腕時計がないので、近くの大人の腕に視線を走らせる。背広の袖から文字盤が見えた。午後八時になろうとしていた。

「おい」黒木に小声で言った。「腹、へってねえか」

黒木が顔を上げる。しばし思案したのち、黙ってかぶりを振った。

二郎も空腹は感じなかった。いつもなら、晩御飯抜きで七時を過ぎたら目が回るのに。

「次は川崎《かわさき》」のアナウンスが流れた。いよいよ東京じゃなくなるのか。子供だけで神奈川に来るなんて初めての経験だ。

川崎では多くの乗客が降りていった。座席に空きができ、黒木と並んで座った。大人たちと目を合わせたくないので、ずっと漫画に目を落としたままだ。

横浜では、本当の塾帰りと思われる小学生が数人乗り込んできた。みんな最新のスニーカーを履いている。大きな声でテストの話をしていたが、黒木が鋭い視線で一瞥《いちべつ》したら、すぐに黙った。

「あいつらの手提げバッグ、いただくか」黒木がぼそっと言った。「塾の名前が入ってるだろう。あれを持ってると怪しまれないで済むぞ」

「やめようぜ。車掌とか駅員にチクられたら、探し回られるぞ」

「それもそうだな」

二郎はここで自分が手ぶらであることに気づいた。同時に、これまで気づかなかったことに驚いた。学校を出るときはいつものリュックを手にしていた。ということは途中でなくしたのだ。

もっとも可能性が高いのは、カツの家だ。

カツの名が浮かび、たちまち気分が悪くなった。脳裏にカツの倒れた姿が映し出された。仰向《あおむ》けになり、ピクリとも動かなかった。

「おい、どうした」黒木に脇をつつかれた。「顔色、悪いぞ」

返事をせず、唇を嚙《か》みしめた。

「乗りもの酔いか。吐くなよ、こんなとこで」

「一回、降りないか」二郎が言った。

「気持ち悪いのか」

「そうじゃないけど」

「じゃあなんだ」

「狭いだろ、ここ。もっと広いとこに行こうぜ」どうにも落ち着かない気分になった。

「わけのわかんねえこと言うな」

「外の空気、吸いたいし」腰を浮かしかけた。黒木に腕をつかまれる。

「もう少し待て。藤沢《ふじさわ》に着いたら降りようぜ。いいこと思いついたんだ」黒木が耳元に顔を近づけてきた。「海岸に行けばヨットが停めてあるだろう。そこに一晩泊まろうぜ」

二郎がうなずく。自分には何のアイデアもないので従うしかない。

「夜行列車は変更だ。一人ならまだしも、二人だと目立つし、補導されやすいんだ」

黒木がますます大人に見えた。自分一人なら、とっくに音をあげていることだろう。

電車が藤沢駅に到着する。ここで大半の乗客が降りた。大人に交じってホームを歩く。

時計を見ると、午後八時半を回っていた。母が店を閉めて家に帰っている時間だ。父はともかく、母は心配しているはずだ。無断で帰りが八時を過ぎたことはない。

心細さが込み上げた。これから自分はどうなるのだろう。

通路を歩き、改札口に向かった。切符は百五十円のものがあるだけだ。

「上原。誰か適当な大人を見つけて、ぴったりうしろにつけ」黒木が言った。

そんなので自動改札機を通過できるのか。二郎が眉《まゆ》をひそめていると、黒木は人の列に割り込み、「すいませーん」と太ったおじさんの背中を押し、あっという間に改札を抜けていった。二郎が呆然《ぼうぜん》と見送る。

黒木が改札の向こう側で首を伸ばした。「来い」と顎《あご》をしゃくられた。喉《のど》が鳴る。足を前に踏み出した。誰かの視線を感じる。改札横の駅員と一瞬目が合った。

まずいと思いつつ、進んでしまう。引き返した方が怪しまれる。改札機の手前で若いサラリーマンのうしろについた。つまずいたふりをしてもたれかかる。男が振り返った。すいませんと小声で言った。「おっとっと」男が口をすぼめる。一緒に通過することができた。黒木を目で探す。黒木は別の方角を見ていた。その視線の先を追うと、さっき目が合った駅員がいた。扉を開け、こちらに駆けてきた。

「おい、君」声がかかった。

黒木が走り出す。躊躇《ちゅうちょ》なく二郎もそうした。

背中で革靴の底が響く音がする。追いかけてくるのだ。

「待ちなさい」駅員の声が構内に響く。何事かと帰宅客が足を止めた。周りの状況がうまくつかめない。階段を三段飛ばしで駆け降りている。

12

駅を出て走った。駅員はまだ追いかけてくるのだろうか。振り向く余裕がない。黒木がバスターミナルを縦に突っきった。二郎も続く。

タクシーにクラクションを鳴らされた。「こらァ」と怒鳴られる。

先の歩道で黒木が自転車を引っ張り出した。汚れているから放置されたものだ。二郎を見てまた顎をしゃくる。漕《こ》ぎだした黒木を追いかけ、荷台にまたがった。

「海はどっちだ」

「知らねえよ」

「まだ追いかけてくるか」

二郎は立ち上がり、うしろを見た。誰も追いかけてこない。

「もう平気だ」

「やばかったな」

「ああ」

「大きな駅だからしょうがねえんだ。小さな駅なら、線路に降りて、近くの踏切まで歩くんだけどな」行く手にコンビニの明かりが見え、黒木が自転車を漕ぐ速度を緩めた。「喉が渇いた。ジュースでも飲もうぜ」

二人で店に入り、ペットボトルのジュースを二本ずつ買った。「なんか腹に入れとかないとな」という黒木の提案でおにぎりも買う。金は黒木が払った。

店の前でジュースを飲み、おにぎりを食べた。

また自転車の二人乗りで海岸を目指した。

「腹減った」二郎が言った。

「おれも」黒木がうなずいた。

おにぎりを一個食べたら、食欲に火がついたのだ。

うまい具合に別のコンビニがすぐ先にあった。今度はちゃんとした弁当を選んだ。二郎はトンカツ弁当とカレーライスを手に取った。「温めますか」と大学生のバイトに聞かれ、「はい」と小さく返事した。

外に出ると、波の音が聞こえた。そういえば潮の匂いがする。弁当を自転車の籠《かご》に入れ、音の方角へと進んだ。雲が出て、星は隠れてしまっている。

ほどなくして海岸に着いた。堤防に立つ。海は真っ黒だった。圧倒的な量の水が目の前に横たわっている。正面から強風が吹いてきて、二郎の髪を撫《な》でつけた。

「おい、こっちだ」黒木に言われ、防砂林の中に移動した。木の幹に腰を下ろし、弁当を広げた。近くに外灯がないので闇の中の食事だ。トンカツの油の匂いが鼻をくすぐった。夢中になって食べた。普段なら残す高野《こうや》豆腐まで食べた。

「この先は、見られただけで怪しまれる時間だからな」黒木は焼肉弁当を頬張っている。

「目的地を決めたら一直線で進むぞ」

二郎は無言でうなずいた。カレーライスは三十秒で食べた。一緒に買ったウーロン茶をいっきに飲み干し、ジャンパーの袖《そで》で口を拭《ぬぐ》った。

「めんどくせえな、小学生は」黒木がぽつりと言った。「夜歩けねえからな」

「昼間だって、学校の時間は歩けないだろう」

「ああ、そうだな。誰が決めたんだ、子供は学校に行けって」

黒木がそう吐き捨てる。二郎も同じことを思った。子供でいるのは本当に損だ。

上空はかなり風が強いらしく、雲が大河のように流れていた。だいぶ暗闇にも目が慣れてきた。野良猫が、堤防の上でこちらの様子をうかがっている。

「船に乗ってブラジルにでも行きてえな」黒木が吐息混じりに言った。

「なんでブラジルなんだよ」二郎が聞く。

「テレビで見たけど、ストリートチルドレンっていうのがいて、学校も行かないで靴磨きとか、そういうことをして、路上で生活してんだよ」

「おまえ、靴磨きなんかしたいのか」

「そうじゃねえ。昼間っから道端でぶらぶらしてても、誰からも文句を言われないってことだよ」

「そりゃあいいな」

「だろう？　日本は平和で豊かでいい国だなんて先生が言うけどよォ、義務が多過ぎるんだよ。義務教育なんて、おれにはいい迷惑だ」

父と同じようなことを言った。黒木と父が親子なら、うまくやっていけるかもしれない。

「明日からだって、自由に動けんのは、午後の三時から七時くらいまでだぜ」黒木が砂をつかみ、地面に投げつけた。「どこにいたって怪しまれるんだ」

「なあおい」二郎が口を開いた。「うん?」と黒木が顔を上げる。

「カツ、死んだのかな」言葉にしたら恥骨のあたりがキュンとした。

「その話はするな」

「でも、おれら、そのために逃げるんだろう」

「死んださ。ピクリともしなかったんだ」

「いまごろ大騒ぎになってるな」

「うるせえよ」黒木がかすかに気色ばんだ。「だいたいおまえが急にキレたりすっから……」

二郎の頭の中で別の記憶が甦《よみがえ》った。カツが母のことを言った。聞いたぞ、昔、刑務所に入ってたんだってな——。そんな馬鹿な。絶対に信じない。

「上原。おまえ、どうしてカツに殴りかかったんだ」黒木の問いが耳を素通りしていく。

人を刺した、とカツは言っていた。ありえない。自分も桃子も、母にはお尻《しり》を叩《たた》かれたこともない。

母が四谷の有名な呉服屋の娘? これも初耳だ。ならば、お祖父《じい》ちゃんやお祖母《ばあ》ちゃんはいるのだろうか。

考えてみれば、父の実家だって知らない。小さい頃、お年玉をくれる人がほかの家の子より少ないので聞いたことがある。「いない」と素っ気なく言われ、それ以上は追及できなかった。

「まったく、喧嘩《けんか》慣れしてねえやつは、急にキレっからよォ」

どっちにしろ、真相を知ることはない。もう家には帰れないのだから。

「江《え》ノ島《しま》へ行くか」黒木が立ち上がった。ズボンについた砂を手で払う。「昔、母子家庭の遠足で行ったことがあんだよ。確か奥の方にヨットハーバーがあったはずだ」

「ヨットに忍び込んで寝るのか」

「砂浜や岩場で寝たいのかよ」黒木が歩き出した。

「自転車は？」

「こんな道を二人乗りしてたら、補導してくださいって言ってるようなもんだろう」

黒木が海岸沿いの通りを指差した。一直線で隠れ場がない。自転車を捨てて砂浜を歩くよりほかはなさそうだ。

波打ち際を並んで歩いた。もう時間がわからなくなっていた。九時はとっくに回っているはずだ。もしかすると十時過ぎかもしれない。すぐ脇の国道を、暴走族の車がけたたましいクラクションを鳴らして走り過ぎていく。

背中を汗が伝った。腋《わき》の下はぐっしょり濡《ぬ》れている。靴の中は、靴下がさぞや臭くなっていることだろう。

気持ちはやや落ち着いた。うまく頭が回らないせいだ。事態を受け止めたくないから、いくつかの感情が扉を閉ざしている。

東京の方角を見るのを無意識に避けていた。あの空の下に家族や友だちがいることを、少しでも考えたくない。

「明日、バイクを盗むか」闇の中で黒木の目と歯が白く浮かんだ。「おれ、運転できるぞ。前に動かしたことがあるんだ。それも原付きじゃなくてクラッチ付きのやつ。フルフェイスのヘルメットを被《かぶ》れば年もわかんねえだろう。おれもおまえも百六十センチあるから、誰も小学生だとは思わねえぞ」

「百六十もないって」黒木の頭のてっぺんを見る。自分と同じくらいだ。

「誰も測りゃしねえよ。底の厚いエンジニアブーツでもパクるか。おれ、いっぺん履いてみたかったんだ。それからサングラスとか、野球帽とか、そういうのもいるな」

二郎が呆気《あっけ》にとられる。こんなときに、どうしてこの男は算段など立てられるのだろう。

「ディスカウントショップとかに忍び込めば、全部揃うんじゃねえのか。バイクはな、修理工場に車検で預けられてるのを狙うんだ。前にカッに聞いたことがある。キーが差しっぱなしだし、ガソリンも入ってるから楽勝らしいぜ」

黒木の声はいくらか昂《たか》ぶっていた。

「二人で逃げ切ろうぜ」

二郎は返答に詰まった。黒木はとっくに腹をくくった感じだ。

橋を渡らず、砂浜沿いに江ノ島に入った。干潮だったので、島は陸続きだったのだ。

途中から靴を脱いで素足になった。海水が足の裏にしみた。

「カツは死んだのかな」二郎がまた聞いた。自然と口をついて出るのだ。

「知らねえよ。もう諦《あきら》めろ」諭すような口ぶりだった。黒木は諦めたのだろうか。「それより、落ち着いたら髪を染めようぜ。うまくいけば十五くらいに見られるかもしんねえし。おれ、金髪にするぜ」なぜか話をそらせようとする。

そのとき黒木のズボンの尻ポケットで携帯電話が鳴った。「うああっ」二人同時に驚きの声をあげる。二郎は二メートルほどあとずさりした。

黒木は、まるでポケットに入りこんだトカゲを追い払うように携帯電話を宙に放った。画面がピカピカ光る電話機が、砂に半分埋まっている。青白い光が、電子音に合わせて周囲を照らしている。

黒木が恐る恐る近づき、のぞき込んだ。「おふくろだ」そう言って拾い上げ、電源を切った。

「いいのか、出なくて」二郎が声をかける。

「今夜は家で風呂《ふろ》に入るから種火を落とすなとか、そういう電話だよ。べつに出なくったって――」

「なあ、それでカツのケータイに電話してみろ」不意にそんな台詞《せりふ》が出て、心臓が高鳴った。

「出るわけねえだろう。あんなことになったのに」黒木が声を低くした。

「でも、かけてみろよ」

「馬鹿野郎。親とか警察とかが出たらどうすんだ。おまけに着信記録が残るんだぞ」

「でも、かけてみようよ。ひょっとして――」

「甘いこと考えんじゃねえよ。白目剝《む》いてたんだ。死んだに決まってんだろう」黒木が苛《いら》立《だ》った様子で砂を蹴《け》った。「逃げるしかねえんだよ。ほとぼりが冷めるまで、おれたちは逃げ続けるんだ」

「ほとぼりって、いつ冷めるんだよ」

「三年ぐらいで忘れるだろう」

「三年経ったら、おれら中三だぞ」

「学校なんか行かねえんだよ」

「なあ、かけるだけ、かけてみようぜ」二郎は黒木の腕を揺すった。「万が一ってことだってあるだろう。だめなら、そんときは諦める」

「往生際が悪いな、てめえも。大人なんかあてにするなよ」黒木が手を振り払う。

「なんの話だ」

「要するに、てめえは、親のところに帰りてえんだろう」

「そうじゃない。本当のところを知りたいだけだ。おれ、ずっと泡食ってたから、冷静にものを考えられなかったけど、人間ってあれくらいで死ぬかな。それに、どっちにしろ、明日になれば新聞とかテレビとかでわかるわけだし」

「当分は見ねえんだよ。新聞もテレビも」

「なんでだ。本当のことを知るのが怖いのか」

「おれは中野には帰らないって決めたんだ。だから、カツが死んでようが生きてようがもう関係ねえんだよ」

黒木が吐き捨てるように言った。

「おれは関係あるぞ。淳や向井とまた遊びたいし、学校だって行きたいんだ」

「なんで学校なんか行きてえんだよ」

「今はそういう話じゃない。カツが死んだかどうか調べようって言ってんだ」

「無駄だ」

「おれには無駄じゃない。なあ、頼む。確かめてくれ」

二郎が懇願する。黒木は親指の爪を嚙《か》み、落ち着きなく瞬《まばた》きしていた。

「どうせ電源なんか切ってあるさ。死んでんだから」

「切ってあるならそれでいい」

しばし沈黙が流れた。黒木がため息をつく。沖合で船の汽笛が鳴った。陸側では大型のトラックが駆け抜けていった。

「ブラジルが地続きなら、おれ何カ月かかってでも歩いていくんだけどな」鼻をすすり、ぽつりと言った。「こっちは一人で生きていけるんだよ。だからほっといてくれってんだ」

「わかるけど」

「家出って誰かに迷惑かけてるか？」

「かけてないけど」

いつの間にか、海水が足の裏全体を浸すまでになっていた。そろそろ潮が満ちてくる時間らしい。

黒木が携帯電話を手にし、左手の親指でボタンを何度か押した。「出なきゃ死んでるってことにするからな」二郎を見て頰を小さくひきつらせた。

「わかった」と二郎。悪寒が走り、腕を抱えた。

黒木が緊張の面持ちで携帯電話を耳に押しあてる。

二郎が生唾《なまつば》を呑《の》み込む。寒気がするのに頭の中だけ熱く感じた。

静寂の中、かすかな呼び出し音が聞こえる。膝《ひざ》が震え、いきなり恐怖が襲ってきた。どうしてさっきまで平然としていられたのか。飯を腹いっぱい食べたなんて信じられない。

そのとき黒木が、弾《はじ》かれたように身を起こした。思わずそうしたという感じで電源を切った。誰か電話に出たのだとわかった。

黒木が眉《まゆ》をひそめている。

「おい、どうした」二郎が聞く。黒木は答えなかった。

難しい顔でランプの消えた携帯電話を見つめている。

「言えよ。誰が出たんだ」

黒木が向き直る。「カツ」と口の動きだけで言った。「カツが出たのか」

「ほんとかっ」二郎は大声をあげていた。

黒木が、焦点の定まらない目で立ち尽くしていた。

「間違いじゃないだろうな。カツの兄貴とかだったら怒るぞ」

「間違いじゃねえ。兄貴の声は甲高いんだ」

二郎が黒木に走り寄る。もう海水は足の甲を隠すまでになっていた。

「ほんとにほんとだな。カツが電話に出たんだな」

「カツだ。おれからだって表示でわかったろうから、怒鳴り出す前って声だった」

腰が砕けた。水浸しになるのもおかまいなく、尻餅《しりもち》をついた。

「なんだよ。おどかしやがって」自分の声が裏返っている。「おい、おれら、人殺しにならずに済んだぞ」黒木のズボンを引っ張った。

黒木も尻餅をつく。「ああ、そうだな」青い顔でうなずいていた。

「なんだよ、あの野郎。白目なんか剝きやがって」

全身が震えた。これまで経験したことのない感情が体の奥底からあふれ出てきた。

黒木に抱きついた。首にしがみつき、力いっぱい揺すった。

「そうなんだよ。人間はそう簡単には死なないんだよ」

今度はじっとしていられなくて立ち上がった。荒い息を吐き、水を何度か蹴った。

「おい、帰るぞ」夜の海岸に声を響かせる。「いま何時だ。ケータイ見ればわかるだろう。まだ帰れるんじゃないのか」

黒木は黙ったままだった。唇を噛み、海を見つめている。

「どうした。腰でも抜けたか」

「帰らねえって言ったろう」黒木の、怒気を含んだ声だった。「おれはこのまま西へ行く。帰りたいのなら、おまえ一人で帰れ」

「なに言ってんだよ。カツは生きてんだぞ。ああ、なんだ。仕返しか。カツなんかもう怖くねえよ。二人でやっつけたじゃねえか」

「そういうんじゃねえ」一転して乾いた口調で言うと、ゆっくり立ち上がった。江ノ島の方角へと歩いていく。

「おまえが学校を嫌いなのはわかるけど、小学生の家出なんか長くは持たないぞ」二郎があとを追う。海水は足首まできていた。

「おれはどこかの港へ行って、ブラジル行きの船に密航する」

「なんだよ、それ、なんの漫画だよ」

「漫画じゃねえ」

黒木が走り出し、二郎も続いた。潮は満ちるのが早そうだ。たちどころにふくらはぎまで達する。会話を交わす余裕がなくなり、二人とも全力で島を目指した。膝がすっかり浸《つ》かるころ、やっとのことで堤防を越えることができた。すぐ先にはヨットハーバーの明かりが見える。

黒木が立ち止まらないので、そのまま明かりに向かって二人で駆けた。時計台があった。見ると、午後十時を指していた。もう今日は帰れそうにない。

柵《さく》を乗り越え、腰をかがめて進む。ビニールシートで甲板を覆った中くらいの大きさのヨットがあり、二郎たちは音を立てないようそっと飛び移った。

「おい、中は部屋みたいだぞ」黒木が窓から中をのぞいて言う。隣へ行って見ると、ベッドやテーブルまである。しかし、ドアには鍵《かぎ》がかかっていた。窓は厚くて割れそうもない。

「ま、いいか。夜露がしのげれば。ビニールシートにもぐって寝ようぜ」と黒木。

「なあ」二郎が手を差し出した。「ケータイ貸してくれ。家に電話するんだ。おかあさんがきっと心配してるから」

黒木は「場所は言うな」と睨《にら》むと、携帯電話を投げてよこした。

なんて言おう。少しどきどきする。かけると父が出た。

「あ、ぼく。いま黒木の家にいて」声がうわずった。「もう遅いから、今夜泊めてもらうことにした」

「おう、わかった」

「おかあさんに言っておいて。朝はここから学校に行くって」

「ああ」父が短くうなずいた。あまりの呆気《あっけ》なさに二郎が戸惑う。「あーっ」次の瞬間、父の大声が鼓膜を震わせた。

「なに？　どうかしたの？」

「おまえが余計な電話かけてくるから」怒っている。「桃子とプレステやってたんだよ」

「おかあさんは」

「風呂《ふろ》。いつもの長湯だ」

切られた。なんて父親だ。でもなんてラッキーなことだ。二郎は大きく息をつき、胸を撫《な》でおろした。

「黒木、おまえはおかあさんに電話しなくていいのか」

「まだ店。それに家出するのに断る馬鹿はいねえだろう」

「おかあさん、心配するぞ」

「しねえんだよ、うちは」黒木が甲板に寝そべった。二郎も倣《なら》う。雲の隙間からレモン色の月が顔をのぞかせていた。

「春休みに家出したとき、京都で補導されたけど、捜索願が出てなかったんだ。警察も呆《あき》れてたな。おまえのおかあさんは何考えてんだって」

二郎は黙って聞いていた。空では雲が裂け、いよいよ満月が姿を現す。

「中学を出たら一人立ちしてくれっていうのが、おふくろの口癖でな。高校へ行きたきゃ、バイトして夜学へ行けってよ」黒木は淡々としゃべった。家の話を聞くのは、これが初めてだ。「おれ、おふくろが十七のときの子供だから、まだ三十にもなってねえんだ。店では二十五だってうそついてな」

歳の話はぴんとこない。二十歳より上は全員同じに見える。

「言うんだよ。本当ならまだ自分はデートに誘われる歳なんだって」

あくびが出た。必死に嚙み殺そうとしたら、瞼《まぶた》がいきなり重くなった。

「おれは邪魔者なんだ。いない方がいいんだ」

「そんなこと、言うなよ……」語尾が怪しくなる。

「おれはな、こんな国、さっさと脱出してやるんだ」

黒木が何か言っている。もう耳に入ってこなかった。二郎は眠りに落ちかけていた。

なんて長い一日だったのか。学校にいたのが先週の出来事のようだ。

13

二郎は自分のくしゃみで目が覚めた。ビニールシートにくるまり丸くなっていた。すぐには状況が判断できない。足で足をかこうとしたら靴の感触があり、動いた拍子で腹がグウと鳴った。頭の中で痺《しび》れた感覚が徐々に引いていく。

喉《のど》がからからだ。低く唸《うな》る。膀胱《ぼうこう》が風船のように張っていた。はたと寝返りを打つ。近くに黒木はいなかった。

立ち上がり、あらためて周囲を見回す。沖合で漁船のエンジン音が聞こえた。空では海鳥が鳴いている。ヨットの縁に立ち、海に向けて滝のような小便をした。

身震いをする。黒木はどこへ行ったのか。すぐ先に時計台があり、目を凝らすと午前六時だった。

声を出そうとして、思いとどまる。誰かに見つかるのはまずい。

ズボンのポケットに手を突っ込んだら、千円札があった。きれいに折りたたんである。しばらく見つめていた。まだうまく頭が働かない。

ここにいても仕方がないので桟橋に上がった。足元に小石が並んでいる。見ると「あばよ」と書かれていた。

小石が足りなかったのか、「よ」の字が欠けていた。


一万円の話はうやむやになった。淳が得た情報では、カツはあの日のことを誰にも話していないらしい。一緒にいた仲間には口止めしたようだ。

「小学生にやられたなんて噂が立ったら、あいつら終わりだからよォ」

すでに淳は、カードを売るのをやめていた。得た金は返さないみたいだ。

リュックは恐る恐る取りに戻った。資材置き場に、あのときのまま放置されていたのには驚いた。どんな家庭環境なのかわかった気がした。

「このまま済むと思わない方がいいぞ」向井が忠告してくれた。「当分ブロードウェイでは遊ぶな」

二郎もその方がいいと思った。顔が合えば、カツも引くに引けない。

黒木は名古屋駅であっけなく補導された。小学生が手ぶらで構内を歩いていれば誰だって怪しむ。

学校には来ていない。児童相談所に通うことになったからだ。「一学期はもう登校しないらしい」と四組の生徒が言っていた。

だから千円はまだ返していない。家に届けてもいいのだが、今の黒木は誰とも会いたがらない気がした。

父はあの日の翌日、二郎の顔を見るなり、「で、勝ったのか」と聞いてきた。「なんのことさ」ととぼけたが、一瞬お尻が涼しくなった。母はやはり心配していたようで、「七時を過ぎるときはちゃんと連絡をすること」と怒っていた。

問題はその母のことだ。カツは、二郎の母が若い頃人を刺して刑務所に入っていたと言っていた。信じるつもりはないが、捨てては置けない。

アガルタでコーヒーをいれる母をカウンターから盗み見た。声ひとつ荒らげたことのない、やさしい母だ。遠足のときは、誰よりもおいしいお弁当を作ってくれる。

「おかあさん」

「うん?」

「おかあさん、刑務所に入っていたことあるの?」

「ないわよ。なに言ってるのよ」

こんな会話を想像してみる。それでどれほど心が安らぐことだろう。二郎に聞く勇気はなかった。うそに決まっている、と自分に言い聞かせて毎日を過ごすしかないのだろうか。

でも、結婚前の苗字《みょうじ》ぐらいなら聞いてもいいような気もする。

「おかあさん、おとうさんと結婚する前、なんて苗字だったの？」

「なんで、どうしたの？」

母がかすかに顔を曇らせた。本当に聞いたのだ。

「学校で旧姓って言葉を習ったの。女の人は結婚前の苗字があるんでしょ」

少しどぎまぎした。母はそれには答えず、コーヒーをカップに注いだ。トレイに載せ、カウンターを出てお客さんのテーブルに運ぶ。戻ってくると、洗い物を始めた。

「堀内《ほりうち》っていうんだけど」母がぽつりと言った。「でも、もう昔のことだから自分とは関係がない気がする」

微笑んではいるが、ちゃんと目を合わせなかった。母が蛇口を全開にする。水道の音で黙らざるをえなかった。

四谷の有名な呉服店の娘——。手がかりはそれだけだ。もしかすると、そこにはお祖父《じい》ちゃんとお祖母《ばあ》ちゃんがいるのだろうか。

二郎は本屋で都内地図を立ち読みした。四谷というだけでも広そうだ。駅の周辺には別の町名の地帯もある。

一〇四の番号案内で「新宿区の堀内呉服店」を問い合わせてみると、なかった。ないことに少しほっとした。あったら、確かめに行かなくてはならない。ないこでも、今度の日曜に、自転車で四谷をひと回りすることにした。知らない土地を探検してみたいし。そんな言い訳を自分にしてみた。

日曜日、淳の遊びの誘いを断って、二郎は東へと一人自転車を漕《こ》いだ。四谷はまったく馴染《なじ》みのない町だ。そもそも中野より東に縁がなかった。小さい頃、母に連れられてよくデパートに行ったが、なぜか新宿ではなく吉祥寺《きちじょうじ》だったのだ。疑問にも思わなかった。我が家の焼きそばに目玉焼きが載っているように。

曙橋《あけぼのばし》の手前を右折して坂を登った。地理はゆうべ都内地図でおさらいした。腰を浮かせ、ペダルを漕ぐ。たちまち汗ばみ、滴が背中を転がった。

信号待ちでシャツの裾《すそ》をズボンから外に出した。身長が少し伸びた気がする。いつものサドルの高さで、足の裏が全部地面に着くのだ。そういえば、靴も窮屈に感じる。今度保健室で測ってみよう。今年中には百六十センチに届きたい。

四谷三丁目の交差点に出た。日曜ということもあって人通りはそれほどない。駅に向かって、新宿通りの歩道をゆっくりと流した。中野とは雰囲気のちがう通りだ。清潔で、広く、不良がいない。黒木がこの町で生まれたら、きっと遊び場に困ることだろう。そして学習院の生徒たちがいい迷惑だろう。

通りには多くの店が軒を連ねていたが、これまでのところ呉服屋はなかった。きれいなビルの一階だから、どの店も品がいい。

路地ものぞいた。たくさんの商店があるので、すべてを見て回るのは無理だ。それでもよかった。調べてみたけどなかった、その事実が欲しいのだ。

駅まで行ってUターンした。今度は逆側の歩道を走った。途中、マクドナルドがあったので入り、ビッグマックを二十秒で食べた。食欲はいつもどおりに戻った。給食は他人《ひと》の分まで食べている。

コーラを飲みながら自転車を漕いだ。ゲップをした。おならもした。

そのとき視界に、和服の飾ってあるショーウインドウが映った。慌ててブレーキをかける。前輪だけに制動が効いたので体が前につんのめり、コーラが手にこぼれた。

少し通り過ぎた場所から振り返る。ショーウインドウは全体の一部だけで、中の様子をうかがうことはできない。入り口が引き戸で暖簾《のれん》もかかっていない。わざと目立たなくしているような外観なのだ。

見上げると「大黒屋《だいこくや》」という木の看板があった。ずいぶん古臭い看板だ。木がすっかりくすんでいるので、文字も見えにくい。玄関前には打ち水がしてあった。両脇には塩が盛ってある。

心臓が躍り始めた。カツは有名な呉服屋だと言っていた。世間のことはわからないが、もしも格式というものがあるのなら、目の前の店がまさにその佇《たたず》まいなのだ。敷居の高さが子供にもわかった。

自転車にまたがったまま、しばらくその場にいた。汗はすっかりひいて、かすかに身震いがした。

どうするべきか。まさか入ることはできない。子供がなんの用だと怪しまれるだろう。ペダルを一回踏み込んだ。少し距離が欲しかった。二十メートルほど離れ、もう一度振り返った。

人の出入りはない。中からは物音ひとつ聞こえてこない。

二郎は前に向き直り、自転車を漕いだ。コーラのカップはコンビニの前にあった屑籠《くずかご》に捨てた。飲んだばかりだというのに喉《のど》が渇いていた。胸の動悸《どうき》はなかなか収まってくれない。

五十メートルほど漕ぎ、Uターンした。ちがうということを確認したかった。カツの言ったことなどでまかせだ。母はこの町とは無関係だ。関係などあるわけがない。

停まるつもりが呉服屋を通り過ぎた。走りながら外観をもう一度見る。ウインドウの向こうの店内に人影はなかった。どんな呉服店なのか見当もつかなかった。少なくとも中野の商店街にあるようなものとはちがう。

またUターン。もう一度通過した。自分でもやっていることの説明がつかなかった。そんなことを五回ほど繰り返した。そしてふと視線を移したとき、呉服屋の入ったビルの、階上への入り口に小さな看板があるのが目に留まった。

「堀内ビル」とあった。

思わず息を呑《の》む。いっきに脈が速くなった。

二郎は自転車を停め、降りてビルの玄関まで行った。

ここは母の実家なのだろうか。四谷の有名な呉服店——。母の旧姓は堀内だ。

不安な気持ちがみるみる胸の中でふくらんでいった。

そのとき、店の戸が開いた。六十代ぐらいの、和服姿のおばさんが出てきた。目が合った。驚きで足が動かない。

そのおばさんは、全体が母に似ているのだ。

向こうも足を止めた。一瞬にして顔色が変わり、その場で立ち尽くした。

互いに声を発することもなく、見つめ合っていた。

二郎から先に動いた。自転車に向けて駆け出した。

「ぼく」背中に声がかかり、さらにどきりとした。

母と同じ声なのだ。

自転車に飛び乗った。振り返ることなく、一目散にその場を離れた。

全力で自転車を漕ぐ。来るんじゃなかったと思った。

カツの言ったことの中で、四谷の呉服屋の娘というのは、たぶん事実なのだ。

その夜、母の顔をまともに見られなかった。うちの母にはいったいどんな過去があったのだろう。

いつか姉が父と喧嘩《けんか》をしたとき、「本当の父親でもないくせに」と口走ったことがあった。姉は母の子だ。似ているから間違いない。その姉は、かつて自分に「十二歳になったら教えたいことがある」と言っていた。家のことを、だ。

来月、その十二歳になる。いったい我が家にはどんな秘密があるのか。

なんだか少女漫画みたいだ。女子ならこんなときはどうするのだろう。

二郎は吐息を漏らしつつ、御飯を四杯食べた。

14

家にお客さんが来た。二郎が見たこともないおじさんたちだった。
四、五人いたように見えたが、数える間もなく桃子と二階へ追い払われた。父が「上原」と呼び捨てにされていた。
「今夜はお風呂《ふろ》なしにしてね」と母に言われた。口元に笑みをたたえてはいたが、浮かない表情だった。

父のお客さんだろうと思っていたら、母も話に加わっていた。トイレに行くとき、声が聞こえた。「うちもらくじゃないんです。それに狭いし」母のあらたまった口調だった。

「おまえは黙ってろ」と父。「昔の仲間だし、面倒見させてもらいますよ」

父が丁寧な言葉遣いをしているのを、二郎は初めて聞いた。

二階で畳に寝転がって漫画を読んでいたら、桃子が横へやってきた。

「おねえちゃんね、今度一人暮らしするんだって。そしたら今のおねえちゃんの部屋、わたしが使ってもいいって」

二郎が上半身を起こす。「誰が言ったんだよ」

「おねえちゃん。代々木《よよぎ》の方でアパート探してるみたい」

「ふうん」生返事した。そういえばここ最近、姉の顔をまともに見ていない。帰りは深夜で、朝は遅くまで寝ていた。休みの日は、ふっといなくなる。

「おとうさんと、仲悪い」桃子は口をすぼめていた。

「前からだろう」

「高校生の頃は一緒に遊んでた」

「そんなの大昔。おまえが心配したって――」また横になり、漫画を広げる。

「おねえちゃんとおとうさんって、親子じゃないの？」桃子が不安そうな声を発した。

二郎は漫画を読むのをやめ、畳に胡坐《あぐら》をかいた。

「なんで、そんなこと言うんだ」

「おねえちゃんが昔言ってた。『桃子とわたしは半分血がつながってるだけなんだよ』って」

「昔っていつよ」

「わたしが小学校に上がったとき」

驚いた。桃子は何も知らないものだと決めつけていた。自分の方こそ、直接は何も聞いていない。

「じゃあおねえちゃんのおとうさんは誰なんだよ」

「そこまでは知らないけど」

桃子は桃子で、自分の胸の中にしまっておいたのだろう。触れてはいけないと、小一で判断したのだ。

「桃子。おれらにお祖父《じい》ちゃんやお祖母《ばあ》ちゃんがいないの、不思議だとは思わないか」

「思う。なんでいないの？」

「わかんない。でもな」声を低くした。「どうやら四谷にお祖母ちゃんはいるみたいだぞ」

二郎は日曜日の出来事を桃子に話した。母の旧姓が堀内であること、その名のついたビルの一階に呉服店があり、中から母にそっくりのおばさんが出てきたこと。母が刑務所に入っていたという噂は省いた。それだけは断固口にしたくない。

「証拠は？」桃子は認めたくないようなことを言った。

「ないよ、そんなもん。でも、向こうのおばさんも、おれを見て顔色変えてたよ。自分の娘に似てたからじゃないのか」

桃子は対応に困っている様子だった。黙りこくり、畳の目を指でなぞっている。

「会いたいか」

「考え中」

「まあ、会っても、仕方がないけど」

「来年から、お年玉が増えるかもしれない」

「それは、そうだな」

桃子がうつ伏せに寝そべった。大きくため息をつく。しばらく爪で畳をカリカリとかいていた。

客は夜遅くまでいた。「新しい執行部には一度教訓を与える必要がある」「闘争あるのみだ」そんな声がときおり二階まで届いた。

それにしても父と母の知り合いが訪ねてきたなんて、二郎の記憶にはないことだった。父と母にはどんな友だちがいるのだろう。それとも、大人になると友だちはいなくなるものなのだろうか。

二郎は宿題もしないでずっと畳に寝転がっていた。

学校では放課後、南先生に呼び出された。

「ちょっと、話をしようか」曖昧《あいまい》な言葉を投げかけられ、職員室ではなく、校庭の花壇のベンチに移動した。

「上原君の家って、確かお母さんがお店をやってるのよね」

南先生が、花壇の三色すみれを眺めながら言った。蝶々《ちょうちょう》が数匹、ひらひらと辺りを舞っている。

「おとうさんはフリーのライターで、もうすぐ作家になるんだ」

二郎は「はい」とだけ答えた。

「うちではどんな話をしているの？」

漠然とし過ぎて返答に困る質問だった。

「……普通の話ですけど」

「そうよね、ごめん」小さく頬を痙攣《けいれん》させた。「聞き方が悪かった」

南先生がなにやら考え込んでいる。しばし沈黙が流れた。

「あのね、人にはいろんな意見があって、それは尊重するべきなんだけど、上原君はまだ小学六年生だし、ひとつの色に染まっちゃいけないと思うの」ぽつりと口を開く。「人は一人じゃ生きていけないから、社会を形成するのであって、そこには慣習というものだって生まれるわけ」

なんの話か、二郎にはまるでわからなかった。

「あ、ごめん。ちょっと難しいこと言ったかな」南先生が髪を両手でひっ詰めた。「上原君のおとうさんはね、修学旅行の費用明細を全保護者に対して明らかにしろって言うけど、そういうの、これまでどの保護者も言ってこなかったことだし、旅行会社と学校との長年の付き合いもあるし、値切ればいいってものじゃないの。とくに修学旅行は生徒の安全管理もあるし、普通のパック旅行のようにはいかないのよ」

だんだん早口になった。二郎は戸惑いながら、南先生の横顔を見ている。

「リベートを取ってるんじゃないかって言うけど、そんな事実はないのよ。この前も学校に来て、この値段ならうちの息子は修学旅行に行かせないとか言ってたけど——」

父がまた学校に来た？　二郎はめまいがした。それに、修学旅行に行かせないって？　冗談じゃない。

「そういうのって保護者として問題があると思うし、子供には子供の楽しみがあるわけで、そういうのに親の権限を主張されると——」

南先生の語気が強まってきた。前を見たまま話している。

「上原君のおとうさんがどういう思想の持ち主か、先生には関係ないことだけど、子供の学校相手にやるのはどうかと思うし、学校に届く連日のファックスや手紙だって迷惑だし——」

そう言い、しまったという表情をした。二郎が南先生を見る。目を合わせようとはしなかった。顔をこわばらせたまま話を続けた。

「先生、上原君のおかあさんに手紙を書いたのね。おかあさんからやめるように言って欲しいって。でも全然やまないし、なんか、先生、ノイローゼみたいになって。だいたい『貴様が闘争してみろ』って、ちょっと今の時代に変だと思う。先生は共産主義者でも無政府主義者でもないし、普通の大学の教育学部を出ただけだし、なんか、たまんないっていうか——」

いつもの南先生ではなかった。生身の女の人、という感じがした。二十三歳の女の人がどういうものか、二郎には見当もつかないが、少なくとも教壇に立つ柔和な顔ではなかった。二郎の胃が、鉛でも飲んだかのように重くなる。

いったい父は南先生に何をしているのか。自分の知らないところで、何が起こっているのか。

「たぶん、おかあさんに手紙は届いてないと思う。昼間は喫茶店にいらっしゃるそうだから、家にいるおとうさんが握りつぶしたんだと思う。そうなると、こっちは手がないっていうか、教頭先生に『どうにかしろ』とか言われると、先生だってパニックになっちゃうし」

南先生の唇が震えていた。二郎は身を硬くした。泣き出すんじゃないかと、怖くなった。

「ひどいよなあ、学年主任だって、『まずは自分で解決の道を探しなさい』なんて、結局は保護者に対して逃げ腰なんだから」

ひとりごとのように言い、また沈黙が始まる。南先生は鼻から大きな息を吐き、てのひらで頬を包んだ。二郎は返す言葉がまるでない。

「上原君は、染まっちゃだめだからね。いろんな本を読んで、いろんな人と会って、そうやってバランスのとれた人間にならなきゃだめだからね」

南先生が、自分の気持ちを鎮めるように、ゆっくりと言った。二郎が黙ってうなずく。たぶん自分は青い顔をしているはずだ。

「じゃあ、帰っていいよ」南先生は立ち上がると、二郎を見ないで職員室の方へと歩いていった。

二郎は重い足取りでその場をあとにした。校庭では、一度家に帰った下級生たちがドッジボールに興じている。その楽しげな声をぼんやり聞いていた。一人校門をくぐる。

頭が混乱していた。何から考えていいのか、とっかかりも見つからない。

二郎はショックだった。南先生の感情的な姿を見てしまった。先生と生徒という関係を超えていた。南先生は、一人の若い女の人として戸惑い、憤慨し、それを二郎にぶつけてきた。嫌われてしまっただろうか。喉《のど》の奥から切なさが込みあげてきた。

どうやら父が南先生に苦痛を与えているらしい。先生はノイローゼになりそうだと言っていた。

手紙、ファックス。父が送りつけたのだろうか。父は南先生をどうするつもりなのか。

「上原くーん」背中に声がかかった。振り返る。南先生が走ってきた。

追いつかれ、肩をつかまれた。前に回り込む。「ごめんね」涙ぐんでいた。

「さっき先生が言ったこと、全部忘れて。上原君に言うことじゃなかった」早口でまくしたてた。「先生、どうかしてた。間違ってた」

二郎が呆然《ぼうぜん》と立ち尽くす。南先生は懸命に笑顔をこしらえようとしていた。

「おとうさんにも、おかあさんにも、何も言わなくていい。たぶん、たいしたことじゃないと思う。こういうのって、ちょっとした誤解とか、行き違いとか、そういうことだから。

先生もいけなかったの。上原君が家で日頃どういう躾《しつけ》を受けているのか気になって、こっちから問い質《ただ》すようなこと言っちゃったし、それで生意気な新米教師だと思われたのかもしれない。とにかく、忘れて。なかったことにして」

さっきにもまして早口だった。睫毛《まつげ》にたまった涙が、今にもこぼれそうだった。

二郎はずっと口が利けないでいる。大人が大人の顔になると、小学生は何も言えない。

「そうそう、ウサギ小屋の世話係、とってもよくやってくれてる。二組の山田先生が褒めてたよ」南先生はわざとらしく話題を変えた。「それから、先週の学級新聞、とってもよかったよ。女子にすごくうけてた」しばらく関係のない話をした。少しは気持ちが落ち着いたらしく、頬の緊張が解けていた。

「じゃあ、真っすぐ帰るのよ」南先生はそう言って踵《きびす》をかえし、小走りに校庭へと消えていった。

少しは救われた気がした。先生は自分を嫌いになったわけじゃない。

けれど、気は収まらなかった。腹立ちと悲しさが胸の中で渦巻いている。父はいったいどういうつもりなのか。子供の学校生活の邪魔までして。

二郎は駆け出した。歩いてなどいられなかった。ほとんど全力で中野の路地を走った。

アガルタのドアを勢いよく開ける。

「おかえり」母はカウンターの中でコーヒーをいれていた。「二郎、扉の開け閉めはもうすこし静かにして」

「おかあさん、南先生からの手紙って読んだ？」

「なによ、手紙って」

母が訝《いぶか》しげに顔を上げる。これで決まった。父が握りつぶしたのだ。

「じゃあいい」

「学校から何か連絡があるの？」

母の問いかけに答えず、店を出た。さらに速度を上げ、家に駆け込む。

「おとうさん」大声をあげた。「おとうさん、いる？」

「なんだ、うるさいな」父は居間で背中を向け、寝転がっていた。「地声の大きなやつめ」

それは自分のことだろう。リュックを畳に落とし、前に回った。

「南先生に変な手紙を送りつけてるの？」喉がからからで声がかすれた。

「おお、南君か。変な手紙とは失礼だな。あまりに体制に従順だから、ちょっとオルグしてやろうと思ってな。おれから手紙がいった以上、公安に気をつけろと脅しておいてやった。南君がどうかしたのか」父が鼻毛を抜きながら言った。

「なによ、オルグって」

「辞書を引け」

「コウアンは？」

「それも辞書を引け」

「それより南先生、怒ってるよ。泣きそうだったよ。ノイローゼ寸前だって」

「なんだ、案外やわなネエチャンだな。もう少し向こうっ気が強い女だと期待してたのにな」ぎろりと二郎を睨《にら》む。

「学校にファックスも送ったんだって」

「だから、修学旅行の代金がおかしいから文書で回答せよと求めただけだ」

「そんなの、南先生だけじゃなく、こっちだって大迷惑だよ。息子の学校にいやがらせをするなんて、信じられないよ」

「いやがらせだと?」父が体を起こした。「それはちがうぞ。おまえの学校の教師どもはな、修学旅行で高額な費用を保護者に負担させて、その見返りとして、自分たちの慰安旅行はタダみたいな費用で旅行会社に面倒を見させていやがるんだ。おとうさんはその証拠をちゃんとつかんだんだ。いいか。教師なんてのは所詮《しょせん》は俗物なんだ。人民が目を離せばすぐに不正を企てる。しかも子供を人質に取っているから、親は口出しできないだろうとタカをくっていやがる。おとうさんはそういう卑劣な官がいちばん許せない」

「そんなこと子供にはわかんないよ」

「まあいい。この問題はおまえとは関係ない。ところで二郎。大きくなったな。身長はいくつだ」するすると手が伸び、足首をつかまれた。

「言いたくないね。放してよ」

「どうれ」足を引っ張られる。畳に尻餅《しりもち》をついた。「久しぶりにプロレスでもやるか」腕が首にかかり、横になったままヘッドロックをかけられた。父からはビンタひとつ張られたことはないが、ときおりかけられるプロレス技は冗談とは思えない威力があった。

「やめてよ、おとうさん」大声で抗議する。

「いいや、やめない」百八十五センチの大男にのしかかられた。

「痛いよ。痛いってば」必死にもがいた。

「悔しかったら早く大きくなれ。おとうさんを越してみろ」

「そんな話じゃないだろう」

「いいや、そういう話だ」

ぎりぎりと締めつけられる。二郎は歯を食いしばって耐えた。

くそう、ほかの家のおとうさんみたいに外で働けよ。うちにばかりいて——。

「ほうれ、解いてみろ」ますます力を込められた。「泣いたら許してやるけどな」

誰が泣くものか。それよりこの先、南先生を困らせたら承知しないぞ。

二郎は自分の無力さを恨んだ。絶対に父より大きくなってやる。大きくなってヘッドロックをかけ返してやる。

奥歯のこすれる音が鼓膜を内側から震わせていた。

15

南先生はいつもどおりのやさしさと笑顔で教壇に立っていた。二郎に対しても普通に接してくれる。授業で手を挙げて指名されたときは、かなりほっとした。昼休みは女子たちと縄跳びをしてキャアキャア言っていた。

でも油断はできない。相手は父なのだ。陰で何をしているかわからない。

それにつけても、父はいったいどういう人間なのだろう。ずっと一緒に暮らしてきたからあまり深く考えなかったが、やはり普通の父親とは大きくちがっているようだ。大人としても常識とはかけ離れている。

二郎は学校の図書室へ行き、本棚から辞書を取り出した。最近耳にした言葉を引いてみる。

共産主義――。「生産手段を社会の共有として、搾取や階級闘争のない社会を実現しようとする思想」とあった。

無政府主義――。「個人の完全な自由を主張し、政府その他いっさいの権力を否定する主義」とあった。

よくわからなかった。

オルグ――。「工場、農村、未組織の大衆の中に入って、組合や政党の組織拡大・強化をはかること」

公安――。「公衆の安全。社会の治安」

小学生には手に負えそうもない言葉ばかりだった。ため息をつく。教室に戻り、だめもとで向井に聞いてみた。

「オルグっていうのは、要するにある考えを人に吹き込むことだな」向井が涼しい顔で言う。先生と呼びたくなった。「本で読んだことがある。学生運動でよく使われた言葉だ」

「学生運動？」

「三十年ぐらい前に、大学生があちこちで暴れたんだよ。政治が気にいらないとか、世の中は間違ってるとか、そういう理由で」

三十年前？　父はまだ四十四だから、その頃は中学生だろう。

「共産主義っていうやつか」二郎が聞く。

「おお、よく知ってるな」向井は本当に先生みたいな台詞《せりふ》を吐いた。「とっくにだめになった社会の仕組みだけどな。ほら、ソ連が崩壊したり東西ドイツが統一されたりしたろう。あのときだ」

おまえ、歳はいくつだ。毎度のことながら顔をしげしげと見入ってしまう。

「学生運動っていうのは、もうないのか」

「いいや。早稲田なんかに行くと、大学の入り口に立て看板がいっぱいあるだろう。『授業料値上げ反対』とか。そういうのも学生運動だ。流行《はや》らなくなっただけで、いつの時代にもあるんじゃないのか」

そうか、父は流行らなくなってからの学生運動の人だったのか。

「じゃあ公安は？」

「コウアン？　それは初めて聞くな。今度調べといてやる」

向井にも知らないことがあるのに、逆に安心した。

父は共産主義とか無政府主義といった考え方の持ち主で、それを周囲に吹き込もうとしている。そして公安と呼ばれる人たちを警戒している。

まったくうちの親は——。一度家族会議でもして、すべてを説明してもらいたいものだ。

学校帰り、淳が不安に駆られるようなことを口にした。カツが復讐《ふくしゅう》の機会をうかがっているというのだ。

「この前、ゲーセンでカツの仲間に声をかけられてよぉ。たぶん二郎の言ってた、あの場に一緒にいたやつだと思うんだけど、『おまえ、上原の仲間だな。上原の家を教えろ』って」

また暗い気持ちになった。心のどこかで、このまま済むのでは、という甘い期待も抱いていたのだ。

「もちろん、『知らない』ってとぼけたけどな」淳は鼻をひとつすすり、手の甲で拭《ふ》いた。

「黒木を先にやるってよ。自宅もわかってるし、元々はカツの子分だし、まあこれは仕方がないよな」

「仕方がなくはないだろう」

「おれは黒木なんか庇《かば》わないぞ。カードを押し付けられたとき、あの馬鹿、横で薄ら笑いしてたんだぜ。あの恨みは一生忘れないね」

淳は黒木の悪口をいくつも並べ立てた。怒りはもっともだ。

「従兄弟《いとこ》が言ってたけど、喧嘩《けんか》っていうのは、一度やると負けるまで抜けられないんだってさ」

ぽつりと淳が言う。二郎はわかる気がした。

来年には中学に上がる。そこにはカツがいる。一年後輩に喧嘩で負けた相手がいるなどというのは、カツには許せないことなのだ。

二郎は肩を落とした。この前のようなパワーは、たぶん二度と出ないだろう。

空手でも習うかな。夏の風が路地を吹き抜け、二郎の前髪をひょいと持ち上げた。

家に帰ると、台所に知らないおじさんが立っていた。

「やあ、お帰り。二郎君だよね」振り返り、白い歯を見せる。テーブルでは桃子が菓子パンのようなものを頬張っていた。

「二郎君のぶんも作ってあげるからね」おじさんは鍋《なべ》で何かを揚げていた。

どう返事をしていいかわからない。父は出かけているのだろうか。家にいる気配はない。

桃子を見ると、知らない人に警戒している様子もなく、椅子で足をぶらぶらさせていた。

「サーターアンダギーっていうんだけどね」おじさんは揚げたものをテーブルの皿に移した。「沖縄のおやつ。ドーナツみたいなものかな」

「おじさん、誰ですか」二郎がぼそっと声を発した。

「ああ、ごめん。桃子ちゃんにはもう言ったけど、仲村アキラっていって、おとうさんの知り合い。大学の後輩にあたって……もっとも歳が離れてるから、一緒にいたことはないんだけど。ぼくのことはアキラおじさんでいいからね」

やさしそうな顔をしていた。大人の歳は見当もつかないけれど、父よりはずっと若く、姉よりはずっと上のように思えた。

「沖縄生まれなんだって」桃子が言った。なんだか気を許している感じだ。「なんとか島で中学生までいたんだって」

「西表島。イリオモテヤマネコがいるところ」とアキラおじさん。

それなら理科の授業で習ったことがあった。ずっと南のジャングルがある島だ。

「さっき宿題見てもらった」桃子が目を細める。「分数なんか三秒で解いたよ」

だから懐いたのか。げんきんな妹め。

二郎もサーターアンダギーというおやつを食べた。おいしいのでびっくりした。

「これ、おかあさんのお店で出すと売れるね」桃子が言った。

「ああ、それはいいね。誰でも簡単に作れるから、今度桃子ちゃんのおかあさんに教えてあげるよ」

アキラおじさんは、うれしそうに二郎と桃子が食べるのを見ていた。

そのとき玄関の戸が開く音がした。ドスドスという足音だけで父だとわかった。

「おう、うまそうだな」台所に顔を出し、アキラおじさんの作ったおやつを指でつまんだ。

「懐かしいなあ。昔はおふくろがよく作ってくれたもんだ」

その言葉に二郎は父を見た。沖縄のおやつが懐かしい？　父は東京生まれじゃなかったのか。それに父の口から「おふくろ」なんて言葉を聞いたのは初めてだった。自分にはお祖母《ばあ》ちゃんということになる……。

「なんで沖縄のおやつが懐かしいのさ」顔色をうかがいながら聞いてみた。

「先祖は沖縄の石垣島《いしがきじま》だ。上原って苗字《みようじ》は沖縄に多いんだ」ぶっきらぼうに答えた。「うん、あとを引くな」二つ目を口に入れる。

「おとうさんのおかあさんって――」

「桃子、今夜から洋子の部屋で一緒に寝ろ」質問を遮られた。「二郎はアキラと一緒だ」よく事情がつかめない。アキラおじさんが「ごめんね」と二郎に顔を向け、微笑んだ。

「しばらくアキラはうちで暮らす。早い話が居候だ。家族が増えていいだろう。わはは」

父は高笑いすると、手に提げていた紙袋をどんとテーブルに置いた。

「着替えを買ってきた。おれの服はちょっと大き過ぎるだろうからな。安物だけど我慢しろ。ユニクロより安いのが中野の店のとりえだ」

「すいません、じゃあ遠慮なく」

アキラおじさんが小さく会釈し、紙袋を手に取った。父とは対照的に、その指は女の人みたいに白くて細かった。

晩御飯は姉を除いた五人で食べた。母もアキラおじさんのことは前から知っている様子だったが、あまり親しく口を利くことはなかった。

「ところで早稲田の本部にいた大野はどうしてる」

「あの人は転向しました。郷里で塾を経営してます」

「とんだハッタリ野郎だな。昔は永田町を火の海にしてやるとか吼《ほ》えてたくせに」

「あと、京大で旗を振ってた山本さんも島根の実家に帰りました。同じく塾です」

「塾っていうのが気に食わないな。受験産業のお先棒を担ぎやがって」

「しょうがないですよ。ほかに仕事なんかないんですから」

父とアキラおじさんは、食事中そんな会話を交わしていた。

アキラおじさんは遠慮することなく、トンカツをおかずに御飯を三杯食べた。キャベツもきれいに食べた。食べ終わると、両手を合わせ、「ごちそうさま」と礼儀正しく頭を下げた。

16

アキラおじさんは、働いている様子がなかった。いつも二階の子供部屋で、むずかしそうな本を読んでいた。たまに二郎の漫画を読んだりもしている。

夜は外出することが多かった。晩御飯を食べた後、ふらりと出かけるのだ。帰りは深夜だった。ときには、夜が明けた頃、忍び足で階段を上がってくることもあった。何をしているのかは聞かなかった。大人には大人《ひと》の世界があるのだろうし、聞くのが怖いような気もした。二郎はこのところ、他人の世界に立ち入らない癖が身についてしまっている。

桃子はすっかり懐いた。アキラおじさんの話が面白いからだ。

「ねえねえ、桃ちゃん。安室奈美恵《あむろなみえ》のお祖父《じい》さん、なんて名前か知ってる？」

「知らない」

「安室波平《なみへい》」

そばで聞いていた二郎まで、不本意ながら笑ってしまった。

姉は不機嫌を通り越して、冷徹だ。もはや用がない限り、家族とは口を利かない。アキラおじさんに対しては、無視を決め込んでいる。「おかえり」と言われても、目すら合わせない。

サーターアンダギーを毎日作ってくれることだけは、二郎も歓迎した。沖縄のドーナツ風お菓子は、二郎の好物になってしまった。

「アメリカ占領前からあったお菓子でね。ドーナツの真似じゃないんだよー」とアキラおじさん。二郎たちと話すときは、いつも唄《うた》うように語尾をのばした。

アメリカ占領？　二郎が眉《まゆ》を寄せる。

「二郎君、沖縄が戦後しばらくはアメリカだったこと、知ってるよね」

知らなかった。社会の授業は今、鎌倉時代だ。

「おじさんが生まれる少し前、日本に返還されたんだよー。もっとも西表なんかは米軍もいなかったから、何も変わらなかったみたいだけど」

「沖縄って、どういうところ?」二郎が聞いた。

「いいところだよー。一年中暖かいし、海は青いし」アキラおじさんはそう言うと、遠い目をした。「とくに西表は亜熱帯ジャングルの島でね、日本で唯一ゴリラがいるんだよー」

「ほんと?」

「うそだよー」

話していると、いつのまにかアキラおじさんのペースに巻き込まれてしまう。

「アキラおじさんって、歳はいくつなの?」これは桃子が聞いた。

「三十歳」

そう答えられてもぴんとこない。ただ、もう若者とはいえないと思った。三十で結婚もしていなくて子供もいないというのは、どういうことなのだろう。二郎には想像もつかない。

アキラおじさんは、町を歩くとき、頻繁にうしろを振り返った。一度、近所の古本屋を案内したことがあったが、角を曲がるたびにうしろを気にしたのだ。誰かにつけられているとでもいうのだろうか。

「どうしたの?」と聞いても曖昧《あいまい》な返事しか返ってこなかった。ときおり鋭い目で、あたりに視線を走らせた。そんなときのアキラおじさんは、隙のない大人の顔だった。

それにつけても、父だ。後輩だかなんだか知らないが、広くもない我が家に居候させるなんて。母には申し訳なさそうな顔ひとつしない。お金だってかかるだろうに。

父も、ちゃんと働いている様子はない。「もうすぐ印税生活だ」などと言って、家でごろごろしている。うちは生活できるのだろうか。二郎はどんどん心配性になっていく。

「二郎君、頼みがあるんだけどさー」ある日学校から帰ると、アキラおじさんに言われた。

「今夜、ちょっと付き合ってほしいんだ」のんびりとした口調だった。

「どこか、行くの？」

「うん。知り合いの家に行くんだけど、二郎君にちょっとやってもらいたいことがあって」

「なにを？」

「ちょっと」

ちょっとばかりで、わけがわからない。

「おとうさんには断ったから」アキラおじさんが階下を指差す。「付き合ってくれたら、帰りにお寿司《すし》をごちそうしてあげる。回ってるやつだけど」

なんだか知らないが引き受けることにした。二郎は寿司が大好きだ。小学四年生まで、稲荷《いなり》と太巻きしか食べたことがなかった。その遅れを取り返したい気分だ。握りなら五十個はいける。

そんなわけで夕食はセーブした。

「おにいちゃん、おかわりしないの？」

訝《いぶか》る桃子を無視し、一杯だけで済ませた。母はまだ帰っていない。父は居間で鼻をほじっている。

アキラおじさんは、ジーンズにTシャツというものいでたちで家を出た。背中に小さなリュック。手には紙袋を提げている。二郎も上着は置いていくことにした。もう夜でも寒くはない。夏が大股《おおまた》で近づいていた。中野ブロードウェイはすでに冷房が効いている。

「二郎君は将来、何になりたいの」駅に向かって歩きながら、アキラおじさんが言った。

「まだ決めてない」

「そうだよねー。まだ小学六年生だもんねー」星空を見上げ、深く息を吸い込んだ。「大学なんか行かないで、世界を旅するのがいいよ。日本なんてどうせだめになる国だから、自分の楽園を探した方がいいよ」

二郎は返事をしなかった。どう答えていいか、わからなかったからだ。

中野駅で切符を渡され、中央線に乗った。吉祥寺方面の下り電車だ。いちばん安い切符なのでどこで降りるのかと思えば、ふたつ隣の阿佐ヶ谷《あさがや》だった。

家路を急ぐ会社員や学生に交じって、中杉通りを北に進む。アキラおじさんは頻繁にうしろを振り返った。父も変だが、このおじさんも変だ。

住宅街に入ると、人通りがほとんどなくなった。中野駅周辺とはちがい、いい暮らしの匂いがそこかしこにあった。門扉の向こうの大型犬と目が合う。吠《ほ》えなかったから、躾《しつけ》が行き届いているのだ。

レンガ張りのマンションの前で、アキラおじさんが立ち止まった。周囲に人がいないのを確かめ、口を開いた。

「二郎君。このマンションの三〇一号室の呼び鈴を押して、これを買ってもらってきてくれる？」

小声でそう言い、紙袋から小さな熊のヌイグルミを取り出した。

事態がつかめず、二郎は黙っている。

「まずはこのチラシを見せてね、『アフガン難民救済募金のバザーをやってます。ぼくらが作ったヌイグルミを五百円以上で買ってもらえませんか』って言うの」

手渡された紙には、子供っぽい手書きで「アフガニスタンの友だちに毛布と教科書を」とあった。文面のいちばん下には「中杉第二小学校六年一組」と記してある。もちろん二郎の通う学校ではない。

「たぶん、女の人が出てくる。やさしいおばさんだから、きっと買ってくれると思う。その五百円は二郎君の小遣いにしていい」

ヌイグルミを押し付けられる。いかにも手作りといった、稚拙なものだった。ただ表情は愛らしい。アキラおじさんが作ったのだろうか。

「玄関がオートロックだから、誰か住人が出てきたときに入っちゃって。子供だから怪しまれないと思う」

「でも……」

二郎が口ごもる。気乗りしなかった。きっとこれはよくないことだ。アキラおじさんは、自分に悪だくみのお先棒を担がせようとしている。いったいこのおじさんは何者なのだ。

「どうして自分でやらないの？」

「だっておじさんは大人だもん。ヌイグルミを売ってるなんて変じゃない」

「このヌイグルミ、なんなの」これは絶対にただのヌイグルミではないと、二郎は確信できた。

「なんでもないさー。見たとおりのものさー」

アキラおじさんが猫撫《ねこな》で声を出す。腰をかがめ、笑顔で二郎をのぞき込んだ。

「説明してくれないなら、やだ」

二郎は拒んだ。寿司は惜しいが、いやな予感の方が大きい。

「怖がるようなことじゃないさー。だってヌイグルミを買ってもらうだけだもん。時限爆弾が入ってるわけでもないし。ほら、振ってごらんよ。ただ綿が詰めてあるだけでしょ」

二郎は振ってみた。確かに軽いし、違和感はない。ただ爆弾という物騒な言葉を聞いて、余計に腰が引けた。

「でも、説明してくれなきゃ――」

「わけがあって説明はできないんだ。大丈夫だって。変なことを頼むわけがないじゃない。だっておとうさんの許可を得てるんだもん」

父が許可したって、その父がいちばん危険人物じゃないか。

「やっぱ、やだ」

「うーん」アキラおじさんが腕組みをする。しばらく黙った後、「じゃあしょうがない。桃ちゃんに頼むか」と言った。

「だめだよ、そんなこと」思わず語気を強めていた。「桃子は関係ないじゃん」自分だって、関係がないけれど。

「子供じゃないとだめなんだよー」

「そんなのそっちの都合でしょう」

「お願いだからさー。おじさんの頼みを聞いて」今度は手を合わせた。「やってくれたら、二郎君の頼み、なんでも聞いてあげる」

「聞いてくれなくていい」

「じゃあ桃ちゃんだー」

「どうしてよ」

「じゃあ二郎君」

「だめだって」

「じゃあ桃ちゃん」

そんな埒《らち》の明かないやりとりを何度かする。アキラおじさんはしつこかった。同情を買おうとしたり、拗《す》ねて見せたり、まるで同級生のように馴《な》れ馴れしく泣きついてくる。腕まで揺すられた。

そして最後は二郎が折れた。アキラおじさんが、別の日に焼肉を食べさせてくれるというのだ。二郎は牛肉に目がない。我が家は今でもすき焼きに鶏肉《とりにく》を入れる。恨みは大きいのだ。

「これって悪いことじゃないよね」二郎は念を押した。

「もちろん」アキラおじさんが胸を叩《たた》く。

信用はしていないが、言い訳が欲しかった。自分は、大人から言われたことをやっただけなのだ。

アキラおじさんから、もう一度説明を受けた。聞きながら、よくこんなにうまいうそを考えるなと感心した。

大きく吐息を漏らし、マンションの玄関前に立った。アキラおじさんは植え込みの陰に隠れている。オートロックの玄関というのは一度も経験がなかった。そんな洒落《しゃれ》たマンションに住む友だちはいない。

五分ほど人を待つ振りをしていたら、中から住人らしきおばさんがゴミ袋を手に出てきた。自動ドアが開く。目を合わせないで、走って建物の中に入った。

エレベーターはやめて階段を駆け上がった。三階の廊下を歩き、いちばん端の三〇一号室に着いた。心臓がどきどきする。アキラおじさんに言われた台詞《せりふ》を心の中で復唱した。

生唾《なまつば》を呑み込み、インターホンを押した。呼び出し音が部屋の中で響いた。

「どちらさまですか?」男の声がスピーカーから聞こえた。

話がちがう。おばさんだと言っていたのに。

「あ、あの」少しどもった。「ぼくは中杉第二小学校の生徒です。寄付のお願いに来ました」

相手が黙った。ほかに誰かいて伝えている様子だ。

「ちょっと待って」こっちが子供だとわかり、やさしい声になった。

足音が中から聞こえる。ドアのチェーンが外され、「はーい」と女の人が現れた。ジーンズにぴったりとしたシャツを着ている。おばさんというより、おねえさんといった感じだ。

「ぼく、どうしたの? なんの寄付?」

「あの、アフガニスタンの子供たちを救おうって、ぼくたち学級会で話し合って、それでみんなでヌイグルミを作って、それを売ったお金で……」

声がうわずった。玄関の三和土《たたき》を見る。靴が五、六足あった。なんとか覚えた台詞を言い遂げる。

「あら、そう。感心ね」

女の人が、手渡したチラシに目を落とし、白い歯を見せる。熊のヌイグルミを紙袋から取り出すと、いっそう大きく微笑み、「まあ可愛い。いくらなの？」と聞いた。

「五百円です。あ、ええと、五百円以上です」

廊下の奥に目が行く。扉が開いていたのでのぞくことができた。人がたくさんいる。事務机がある。住居ではなく、何かの会社のように思えた。

「じゃあ千円で買ったげる」財布から千円札を出した。

「ありがとうございます」二郎が受け取り、頭を下げる。

「いくつ売れたの」

「このマンションで二つです」うそが自然と出た。

「がんばってね」肩をぽんと叩かれる。

二郎はもう一度礼を言うと、踵《きびす》をかえし、廊下を走った。階段を三段飛ばしで駆け降り、マンションの外に出る。

「二郎君、ありがとう。うまいじゃないの」

通りにはアキラおじさんがいて、握手を求めてきた。

「じゃあ回転寿司《ずし》に行こう。駅前にあるから」

二人で小走りにその場を離れた。

「千円は二郎君の小遣いにしていいからねー。五分で千円だからいいバイトだったじゃない」

「うん。まあそうだけど」

ぶっきらぼうに答えた。うれしくなんかないし、まだ緊張がとけないのだ。静まり返った住宅街を進みながら、二郎ははたと思った。千円だって？　どうして金額を知っているのか。出てきたときは「うまいじゃないの」と言っていた。どこかで見ていたのか。

いや、アキラおじさんは外で待っていたはずだ。

奇妙な体験をしたせいか、なにやら現実感が薄らいできた。キツネにでもつままれている気分だ。

「好きなだけ食べていいからねー」

もちろん、そうするつもりだが……。二郎は一人眉間《みけん》に皺《しわ》を寄せる。

回転寿司ではトロを十個食べた。エビとイカは四個ずつ、ウニは生まれて初めて口にした。玉子はパス。こんなもので腹をふくらましたくない。

アキラおじさんは、少しつまんだだけで、あとはお茶をすすっていた。

明日は焼肉だ。カルビを死ぬほど食べてやる。

二郎は額の汗を拭《ぬぐ》いながら、皿を何枚も積み重ねていった。

家に帰ると、父が居間で新聞を広げ、足の爪を切っていた。母はお風呂《ふろ》に入っているらしい。

アキラおじさんは父のそばに近寄り、「無理を言ってすいませんでした」と小声で言った。

「ああ、かまわんさ」

「絶対にご迷惑はかけませんから」

「だからかまわんって言っているだろう」父は爪を切り終わると、そのまま新聞をたたんだ。「ところで電池の寿命は大丈夫なのか」

「はい。水銀電池を六個入れて四百時間はもつようにしてあります」

「ふうん、おれたちの頃とは時代がちがうんだな」父が畳に寝転がる。

聞いていた二郎には、なんのことだかまるでわからなかった。

家には謎が多過ぎて、もはや問い質《ただ》す気にもなれない。

17

アキラおじさんの不思議な行動はその後も続いた。何を思ったかジョギングを始めたのである。

「人間、健康が第一だからねー」とぼけた口調で言っていた。

湯上がりには腕立て伏せもしている。上半身裸のアキラおじさんは、服の上からは想像できないほど引き締まった肉体をしていた。

なんとなく刺激を受けて、二郎も腕立て伏せに付き合った。

「二郎君は、クラスに好きな女の子、いるの」

突然そんな話を振られ、顔が熱くなる。「いない」とぶっきらぼうに答えた。

サッサの顔が浮かんだが、慌てて頭の中で打ち消した。

「もてそうじゃない」隣でアキラおじさんが笑ってる。

「そんなこと――」息が切れた。腕立て伏せは二十回が限界だった。

アキラおじさんは、子供と一緒になって遊べる大人だった。桃子だけでなく、淳や向井とも仲良しになった。いたずら好きだからだ。

区役所前の銅像にランニングシャツを着せるなんてことを嬉々《きき》としてやった。淳は「おれも一緒にいたんだぞ」と、手柄のように学校で吹聴《ふいちょう》していた。

ただ、外出にしょっちゅう付き合わされるのには閉口した。買い物ひとつにしても、「二郎君か桃ちゃん、付き合ってよ」と言ってくるのだ。その都度コロッケを奢《おご》ってくれるのでよしとはしているが、やはり妙な大人だと思った。

そんなある日、学校から帰ってくると、家の前の通りに知らないおじさんが立っていた。なにやら二郎の家の様子をうかがっている感じがする。誰だろう。また国民年金の催促だろうか。

訝《いぶか》りながら横をすり抜け家に入ろうとする。

「ここの家の子？」おじさんから声をかけられた。穏やかな口調だった。

二郎が立ち止まる。「そうですけど」相手を見据えて返事した。眼鏡をかけた普通の中年だった。歳は五十歳ぐらいだろうか、髪に白いものが混じっている。手には黒いアタッシェケースを提げていた。

「じゃあ、君のおかあさんは上原さくらさんだよね」母の名前を言う。二郎は黙ってうなずいた。

「おとうさんは上原一郎さんだ」

「はい」小さな声で答える。

「おとうさんは、何のお仕事をしてるの？」

警戒心がふくらんだ。役所の人ではない。何度も来ているから、そんなことはとっくに知っているはずだ。

二郎は玄関の引き戸を開けると、奥に向かって「おとうさーん」と声をあげた。しかし応答がない。

「留守みたいだよ。おじさんもさっき呼び鈴を押したから」

アキラおじさんも出かけているのだろうか。鍵《かぎ》もかけないで？

「ねえ君。おとうさんは何のお仕事してるの？」男はなおもしつこく聞く。

どうしよう。答えない方がよい気がする。すぐそこの喫茶店に母がいるから、そこで聞いてくれと言おうか。いや、それも……。脈が速くなってきた。

「おじさん、誰ですか」

「ちょっとアンケートを取ってるんだけどね」

信用したくなかった。「おとうさんが帰ってからにしてください」二郎はそう言うと、家に逃げ込み、鍵をかけた。階段を駆け上がる。そこに人影があり、ぎょっとする。

「うわっ」思わず声をあげた。

アキラおじさんが立っていた。「しっ」と口の前で人差し指を立てている。

「驚かさないでよ」二郎は階段の途中でへたり込んだ。「いるなら、いるって――」心臓が早鐘を打っている。

「どんなやつだった？」とアキラおじさん。硬い表情をしていた。唇には色がない。

「知らないよ。普通のおじさんだよ」

「ほかに誰かいた？」ささやくように言う。

「一人だよ」

「電柱の陰に二、三人隠れてたとか」

「なんの話よ。そんなのいなかったよ。それよりおとうさんは？」

「武蔵野《むさしの》ホールで映画」

二郎がため息をつく。まったくもう。

「本当に一人だった？」

「そうだよ」

「よし」

アキラおじさんは拳《こぶし》を握りしめると、階段を降りていった。全身に緊張がみなぎっていた。玄関の鍵を開け、表に出る。「おい」というとがった声を発した。

思ってもみない事態に二郎も降りていく。玄関から身を乗り出してのぞくと、アキラおじさんは、じさんは、家の前で男の背広の襟をつかんでいた。どきりとした。喧嘩《けんか》でも始まるのか？

「社同協か。阿佐ヶ谷か」一転して低く唸《うな》った。

「な、なんですか」男が顔をこわばらせている。「誰ですか、あなたは」

「とぼけるな。どうしてここがわかった」

「いったいなんの話ですか」

男が身を捩《よじ》り、逃れようとした。しかしアキラおじさんは放すまいと両足を踏ん張る。

「どうやって調べたって聞いてるんだ」

「わたしは、ただアンケートのお願いに――」

「うそをつけ。さっきは外からこの家を写真に撮ってただろう。二階から見てたんだ」

「いや、その、それは――」

「それはなんだ」

路地に言い争う声が響き渡る。何事かと隣のおばさんが外に出てきた。

「二郎君、どうしたの？」

二郎が返事に詰まっていると、アキラおじさんが、「なんでもないんです。セールスマンがしつこくて」と無理に笑顔で言って男を家の中に引きずり込んだ。男は非力なのか、なされるままだった。

「おい、その鞄《かばん》の中を見せろ」

「勘弁してくださいよ。何もしてないじゃないですか」

「いいから見せろ」

アキラおじさんが黒のアタッシェケースを取り上げる。抵抗する男の手を振り払い、留め具を外した。蓋《ふた》が開き、中にあったデジタルカメラや録音機が三和土《たたき》に散乱する。「これは何だ。言ってみろ」声を荒らげた。やさしい普段の顔がうそのようだ。

「いや、ですからね……」男が顔をゆがめる。

アキラおじさんは、男の背広の内ポケットに手を突っ込むと、財布を取り上げた。

「ああ、それは」

「うるさい」一喝し、中を開いた。名刺を抜き取る。「興信所？」声が裏返った。

「まずいんだよなあ」男がひとりごとのように言った。「こういうのって、会社にばれると、すぐにクビになっちゃうんだよなあ」

「おたく、探偵？」アキラおじさんの態度がトーンダウンした。

「いやね。あなたがどなたか知りませんけどね。わたしはこの家の奥さんがどうしているか、その調査を依頼された者なんですよ」男は眉《まゆ》を八の字にしている。

「誰から依頼されたんですか」

「そこまでは言えませんよ。そりゃあわたしはこの仕事に就いたばかりだし、慣れてないし、こうして捕まってしまうし、ドジな調査員ですけど。クライアントの名前までは明かせません」

「じゃあ会社に電話して聞きましょう」

「やめてください」男が情けない声を出し、手を合わせた。「スーパーが倒産して、やっと見つけた仕事なんですよ」

「おたくの事情なんか、知らないね。なんなら、ここの主《あるじ》を呼んできましょうか。怖い人ですよ。おたく、ただでは済みませんよ」

男が黙る。ハンカチを取り出し、額の汗を拭《ぬぐ》っている。よく見れば、さえないおじさんだった。

「……会社には連絡しないって、約束してもらえます？」

「ええ、約束します」

男がため息をつく。「まあ、浮気調査でもないし、金銭がからんでいるわけでもないし、たいしたことにはならないと思いますけど……」そこまで言って二郎を見た。

「あ、二郎君。二階へ行っててくれるかな」アキラおじさんが言った。

逆らうのが面倒なので従う。ただし部屋には入らず、階段の上で聞き耳を立てた。

「四谷に大黒屋っていう呉服店があるんですがね——」

男の言葉に二郎は息を呑《の》んだ。

「そこの大女将《おおおかみ》さんからの依頼で、二十年近く音信が途絶えている娘さんの生活ぶりを調べてほしいって――」

恥骨のあたりがキュンときた。やっぱりあの女の人は、自分のお祖母《ばあ》ちゃんなのだ。あの呉服屋は、おかあさんの実家なのだ。

頭がぐるぐる回った。母は、家出をして父と結婚したのだろうか。駆け落ちというやつだろうか。

「わたしは思うんですがね。やっぱり肉親同士はちゃんと連絡を取り合った方がいいと――」

「そんなことを言われても、ぼくはただの居候だし、この家の事情には疎いので……」

予期せぬ展開に、アキラおじさんは戸惑っている様子だった。急に低い声になり、「話せませんよ、人の家のことは」と拒んでいる。

探偵の男は五分ほど玄関で話をして、帰っていった。

アキラおじさんは二階には上がらず、台所で米を研ぎはじめた。居候らしく、家事を手伝うようになったのだ。

二郎は子供部屋で一人寝そべった。動揺が収まらないまま、天井を眺める。

自分のせいだと思った。あの日、四谷で見られてしまったから、こういう事態になったのだ。

この先はどうなるのだろう。母が困るようなことにならなければいいのだが。

いまさら親戚《しんせき》なんかいらない。家に波風が立たない方がありがたい。子供にできることなど、何もないのだ。

寝返りを打った。おなかがグゥと鳴った。

その晩アキラおじさんは、二郎の知る限りにおいて、父にも母にも何も報告しなかった。何食わぬ顔で食卓を囲み、食べ終わればいつものように外出していった。

人の家のことに立ち入りたくなかったのだろうか。考えても、わからないけれど。

そしてその週の日曜日、我が家に来客があった。みんなで昼食を食べ終えたときだった。

呼び鈴が鳴り、玄関の引き戸が開く音がした。

「ごめんください」女の人の声が台所にまで届いた。

その声を聞くなり、流しに立っていた母の顔が青ざめた。

四谷のお祖母ちゃんだと、二郎はすぐにわかった。

18

「ごめんください」もう一度、玄関から声がした。穏やかさと強さが同居した声だった。

母の顔色が変わったことに、まずアキラおじさんが気づいた。隣で食器を拭《ふ》いていたからだ。

「ぼくが出ましょう」そう言ってジーンズで手を拭う。

「ううん。いい。わたしが出る」母が即座に制する。声がうわずっていた。

父はテーブルで鼻毛を抜いていた。眉間《みけん》に深い皺《しわ》を寄せている。痛いせいかと思ったが、父の手は止まったままだった。

ただならぬ空気を察したのか、桃子が二郎を見た。対応に困り、目をそらせた。そらせた先に姉の目があった。珍しく家にいたのだ。誰よ、と唇だけで二郎に聞いてきた。口ごもった。知っていると判断され、姉に凝視された。

母が廊下を走る。パタパタというスリッパの音が台所にまで響いた。

「二郎君、桃ちゃん、外で遊ぼうか」唐突にアキラおじさんが言った。

何を言ってるんだ。こっちはもう小六だぞ。

「おお、それはいいな。区役所前の銅像に、今度はパンツでも穿《は》かせてやれ」

父が低く声を発する。父も訪問者がわかったのだと、二郎は察知した。桃子がテーブルの上のコップを倒した。牛乳がこぼれる。布巾《ふきん》を取ろうとしたアキラおじさんが椅子を引っ掛け、倒した。柱時計が鳴る。家全体が慌てている感じだった。

「どうしたの、いきなり。興信所なんか雇ったりして」

母の声が小さく、けれどはっきりと聞こえた。全員が聞き耳を立てているのだ。

「さくら。二十年振りで、そんな言い方は――」

「おほほほほん」父が不自然な咳《せき》ばらいをした。「しかし、今日は暑いな。すっかり夏だ。角の中華屋も冷やし中華を始めたみたいだな」関係ない話をする。

「誰が来たのよ」姉が責めるような目で言った。自分だけが蚊帳《かや》の外だと思ったようだ。

「また国民年金だろう」と父。

「どうして役所の人が、『さくら』なんて言うのよ」

「やつらは馴《な》れ馴れしいんだ」

そのとき、玄関の引き戸が閉まる音がした。母はお祖母ちゃんを、とりあえず外に出したのだ。

姉が立ち上がり、玄関へと向かった。「おい、洋子。肩でも揉《も》んでくれんか」と父。姉は相手にならなかった。

二郎も立ち上がった。ただし玄関ではなく二階へ駆け上がった。いやなことが起こりそうで、この場に居合わせたくなかったのだ。

自分の部屋に入ると、急いで窓の脇に寄り、そっと通りをうかがった。

母がいた。もう一人の、髪に白いものが混じった和服姿のおばさんに目がいく。見下ろす恰好《かっこう》だがはっきりとわかった。四谷の呉服店で見かけたおばさんだ。つまり、お祖母ちゃんだ。

「おにいちゃん、誰なの」桃子があとを追ってきた。

「しっ」唇に人差し指を立て、窓を三センチだけ開けた。畳にしゃがみ込み、身を隠してのぞく。桃子が二郎の背中にまたがり、トーテムポールのように顔が上下に重なった。耳を澄ませる。

「勇気、いったのよ」とお祖母ちゃん。

「それはわかるけど」と母。

さっき二十年振りとか言っていた。なのに、テレビで見るような感動の再会劇ではなかった。きっと現実とはこういうものだ。人は、最初に戸惑うのだ。

「おとうさん、もう全部忘れるって」

「そんな、勝手な」母が鼻をふんと鳴らした。「こっちは忘れないよ」

母は、まるで子供のような口の利き方をした。二郎が初めて見た、母親以外の顔だった。

「もしかしてあの人、この前おにいちゃんが言ってた、お祖母ちゃん？」桃子がささやく。

「ああ、そうだ」二郎は答えた。

「ふうん……」唇をとがらせ、桃子は黙った。

そのとき、玄関の開く音がした。姉が出てきたのだ。大方、中で聞き耳を立てていたのだろう。

「お客さん？　中に入っていただいたら？」母に向かって、姉が慇懃《いんぎん》に言った。ただし怒ったような声だ。

「洋子ちゃんね」とお祖母ちゃん。「大きくなって」たちまち表情がやわらいだ。

母が姉に家に戻るように言う。姉は言うことを聞かなかった。あくまでも、この場で説明を求めるといった態度だ。姉だって感づいている。この場にいる女三人は、みんな顔が似ているのだ。

階段がトントンと鳴り響き、アキラおじさんが部屋に入ってきた。桃子に覆い被《かぶ》さり、トーテムポールが三段重ねになった。

「重い」二郎が抗議する。

「ねえ、誰か洋子ちゃんを止めておいでよ」アキラおじさんが心配そうに言った。

また階段の音。今度は父だった。

「おい。何をやってるんだ」地声の大きな父が、声をひそめている。

「おとうさんこそ、何よ」

「うるさい。どけ」アキラおじさんを引き離し、自分が桃子に乗っかった。

「おとうさん、あの女の人、わたしたちのお祖母《ばあ》ちゃんなの？」桃子が聞く。

「ああ、そうだ」あっさりと認めた。「もっとも、おれも一、二度顔を見ただけだがな」

「なんで離れ離れだったの？」桃子は遠慮なしだ。

「駆け落ちだからだ」

今度は桃子も言葉を返さなかった。小四でも意味を知っているのだろう。

「あーあ、さくらにそっくりだ。さくらも、二十五年たつとああなるってことか」父が一人つぶやいている。

やがて母たちは家の中に入った。近所の目を気にしたようだ。

「おいおい、上がるのかよ」父が鼻に皺を寄せる。

二郎たちは一斉に窓から離れ、階段の方へと移動した。上から階下の様子をうかがう。

それにしても、父は挨拶《あいさつ》をしなくていいのだろうか。

「アキラ、洋子を二階へ連れて来い。あいつは気が強いから何を言い出すかわからんぞ」

と父。

「えっ、ぼくがですか？」

「二郎や桃子が行ったら、バアさんに捕まっちまうだろう」

アキラおじさんが渋々階段を降りていく。姉相手になにやらひそひそ話をする。「仲村さんは関係ないでしょう」とつっけんどんに言われ、すごすごと引き上げてきた。

「役に立たねえ野郎だ」父が落ち着かない様子で膝《ひざ》を揺すっている。「それにしても、なんで今ごろ捜し出したりするんだ。父親でも危篤か」

二郎は顔が熱くなった。原因は自分だ。四谷で目撃されたのが、お祖母ちゃんに捜す気を起こさせてしまったのだ。

「しあわせそうで、よかった」お祖母ちゃんの声が下から聞こえた。

「不幸にしているとでも思った？」母は愛想がない。

「洋子ちゃん、ほんと、きれいになって。わたしは、ヨチヨチ歩きのころしか知らないから」

姉の声はしなかった。会話には加わらず、じっと居座っている。女は強いな。二郎はそんなことを思った。自分は慌てて逃げたというのに。

「べつにどうこうしようってわけじゃないの。あなたにはあなたの人生があるし、もう干渉はしない。ただ、親子がこの先、一生会わないというのは、あまりに淋《さび》しいから……」

お祖母ちゃんはやさしい声をしていた。居住まいまで想像できる。品がいいとはきっとこういうことなのだろう。

「それに、おとうさんが死んだら、財産分与のこともあるし」

「いらない」母が即座に遮った。

「そんなこと言わないの。お金はあっても邪魔にはならないでしょ。雄一《ゆういち》だって、『おねえちゃんにも貰《もら》って欲しい』って言ってるのよ。雄一、憶《おぼ》えてる?」

「憶えてるわよ、弟なんだもの」

「もうすっかりおじさん。町で会ってもわからないかもしれない。三人子供がいるのよ。いちばん上は今年中学生。その下は三年生と二年生。あなたの甥《おい》と姪《めい》よ」

桃子が立ち上がった。見ると、頬を紅潮させ、鼻から大きく息を吐いていた。次の瞬間、トントンと階段を降りていく。声をかける間もなかった。手を伸ばしたが空を切った。

「まあ、桃子ちゃんね」お祖母ちゃんの弾んだ声が聞こえた。「はじめまして。あなたのお祖母ちゃんですよ」

桃子の言葉はなく、どんな反応をしたのかはわからない。二郎は桃子の勇気に感服した。

女四人が下に集まり、男三人が二階に取り残される形となった。

父が鼻をひとつすする。階段を離れ、子供部屋でごろりと大の字になった。ただし呑気《のんき》に昼寝といった体ではない。敷きっ放しにしてあった布団を頭から被《かぶ》ったのだ。

アキラおじさんと顔を見合わせた。自分たちがなんだか情けなく思えた。

「おにいちゃんは？　お二階にいるの？」

恥骨の辺りがキュンとする。二郎も布団を被りたくなった。桃子が階段を駆け上がってきて二郎を呼んだ。「お祖母ちゃんが会いたいって」

父は布団を被ったままだ。大きく息を吸い込み、二郎は階段を降りた。みんなは居間にいた。母と姉はむずかしい顔をしている。お祖母ちゃんは口元に笑みをたたえている。桃子はやや上気していた。頰がピンクに染まっている。

「二郎君って六年生なのね。大きいから中学生かと思っちゃった」お祖母ちゃんが相好をくずす。二郎は小さく会釈した。

あらためて見ると、お祖母ちゃんは母とそっくりだった。姉とも。桃子は度合いが下がるが、それでも四人は誰の目にも血がつながっている。そして自分もそうなのだろう。お祖母ちゃんは、一目見て、母の子供だと見破ったのだ。

「ごめんね、これまでお小遣いもあげられなくて」

お祖母ちゃんは、一人でしゃべっていた。穏やかな口調だが、どこか興奮気味でもある。お茶を幾度も飲み、その都度母が注ぎ足していた。

姉と桃子には、着物を作ってあげるから店に来て欲しいと言った。二郎には、中学に上がったらパソコンを買ってあげると白い歯を見せた。

母は終始うつむき加減だった。二郎とは目を合わせない。この場にいるのが悪いような気がした。事情は知らないが、母は自分の親が嫌いなのだ。

「これで、欲しいものでも買って」お祖母ちゃんは財布を取り出し、三人の孫に一万円ずつ手渡した。母は何も言わなかった。

「ごめんなさい、休みの日にいきなり来て。でも、そうしないと孫の顔が見られないと思ったし、そもそもわたしだって、どうするのがいちばんいいか、わからなかったし……」

「いいよ、べつに」と、つぶやくように母。

「この家のまわり、三周もしちゃった」

母が小さく苦笑する。

「来てよかった。これで明日死んでも、大丈夫」

「そんな」

「ううん。とっくに還暦を過ぎてるんだもん。心の準備ぐらいはしておかないと……。じゃあそろそろ」

お祖母ちゃんが立ち上がった。桃子の頬に手を伸ばし、やさしく撫《な》でた。二郎は両手で頬をはさまれた。姉は腕をさすられる。

手で触れて、現実であることを確かめているような仕種《しぐさ》だった。

母が玄関まで見送る。

「この二十年間、一日もさくらのこと、忘れたことはなかったのよ」お祖母ちゃんは最後にそう言い、帰っていった。

居間に沈黙が流れる。

姉は何も言わず、外に出ていった。普段着なので近所だろう。

アキラおじさんが階段を降りてきて、「ちょっと図書館へ」と言い、玄関へ行った。

「わたしも行く」と桃子。「ぼくも」と二郎も続いた。

母は一人になりたがっている。みんながそう思ったのだ。

家を出てしばらく歩いてから、図書館の貸し出しカードを忘れたことに気づく。借りたいコミックがあるかもしれないので走って戻った。家の横を通ったときだ。風呂場《ふろば》から人の泣き声が聞こえた。もちろん母だとすぐにわかった。大きな嗚咽《おえつ》を漏らしている。それは、叱られた子供が泣きじゃくるような感じだった。

心臓が早鐘を打ち、膝が震えた。母が泣いている。二郎はショックを受けた。

「おーい、さくら。出てこいよ」父の声がした。風呂場の戸をはさんで、声をかけているらしい。

二郎は貸し出しカードを諦《あきら》めた。足音を立てないよう、その場を離れた。角を曲がってからは全力で走った。

母はどうして実家と関係を絶っていたのだろう。依然、我が家はわからないことだらけだ。

すぐにアキラおじさんと桃子に追いついたが、走ることをやめなかった。そのまま図書館まで一人で駆けていった。

19

お祖母《ばあ》ちゃんの訪問以来、桃子の様子が変わった。なにやら、はしゃいでいるのである。

「ねえ、おにいちゃん。遊びに行ったら、浴衣《ゆかた》、作ってくれるかなあ」

お祖母ちゃんから孫一人一人に届いた葉書を眺めながら、そんなことを何度も言う。

葉書の文面には「遊びに来てね」と書いてあった。ご丁寧に地図まで記されていた。

「今度の土曜日に行こうかなあ。おにいちゃん、一緒に行かない？」

畳に寝転がり、足をバタバタさせていた。

学校で耳にした噂では、桃子はクラスの友だちに自慢しているらしい。それは、自分は本当はお金持ちの家の子で、四谷にある老舗《しにせ》呉服店の跡取り娘というストーリーだった。新宿通りに面した「堀内ビル」を、自分のもののように誇っているとのことだった。少女漫画の主人公にでもなった気分でいるのだろう。

変わったといえば、姉も不思議と機嫌がよくなった。もう父や母に当たったりしない。二郎や桃子にもやさしかった。

「親戚《しんせき》がいるっていうのは、悪くないね」葉書をためつすがめつして、ぽつりと言った。

姉の場合は、自分の血がどこかとつながっているという、安堵《あんど》感《かん》から来ているように思えた。毛嫌いしていた父の血が、お祖母ちゃんの登場により薄まった。姉の中で、新しい扉がポンと開いたのだ。

「着物デザイナーなんてのは、どうやってなるんだろうね」

二郎に聞いたってわかるわけがないのに、話を振ってきたりする。

姉は成人式のとき、振り袖《そで》を着なかった。二郎の知る限り、親にねだることもしなかった。最初から諦めていたのだ。

子供はどこか、親を見て諦めるところがある。二郎にしても、私立中学はありえないとか、自分の部屋がないのは仕方がないとか、自ら枠を作っていた。

お祖母ちゃんの登場は、それを取り払ってくれるかもしれないという期待を抱かせる。やけに頼もしく思えるのだ。

二郎も少しは自慢した。淳や向井に、「おかあさんの実家っていうのが昔からの金持ちでさ」と。親戚自慢ができる。二郎には生まれて初めての経験だった。

次の土曜日、二郎は桃子と四谷のお祖母ちゃんの家を見に行くことにした。桃子がどうしても見たいというので、二郎が同伴することになったのだ。

事前の電話はしていない。当初は、桃子と、どっちが電話するかで揉《も》めたが、「まずは様子見」ということで落ち着いたのだ。訪問する勇気はなかった。通りを歩いていて発見されないかな、という期待はあるのだけれど。もちろん母には内緒だ。だいいち、家族全員が、母の前ではお祖母ちゃんの話を避けている。

小遣いをもらった余裕から地下鉄で行った。四谷三丁目で降り、新宿通りに出る。直接店の前には向かわず、通りをはさんだ反対側から眺めた。

「すごい、八階もある」桃子が指で数えて言った。「いちばん上に住んでるのかなあ」

「知らないよ」

そう答え、隣で二郎も見上げた。屋上には緑があるので、桃子が言うように住んでいるのかもしれない。周囲と見比べても、清潔で堂々とした建物だ。中を見てみたくなる。

「おかあさんって、お嬢様だったんだね」桃子がため息をついた。

「ああ、そうだな」

「駆け落ちしなきゃ、わたしもこの家の子だったんだ」

「ばーか。おとうさんと駆け落ちしなきゃ、おまえは生まれてないの」

小四だと、まだ子供の誕生過程はわかっていないみたいだ。

「前まで行こうか」

「うん」

二人で通りを渡った。日差しが強く、街路樹の葉がきらきらと輝いている。

土曜日なので人通りは少なかった。この前来たとき同様、商店らしくない店構えで、ウインドウ越しに中をのぞくこともできない。

「おにいちゃん、言ってきて」桃子が言った。「お祖母ちゃんに、遊びに来たって」

「なに言ってんだ。会いたきゃおまえが行けよ」二郎は目を剝《む》いた。「おれは付き合いで来ただけだぞ」

「おにいちゃん、臆病《おくびょう》」

「おまえこそ」

「じゃあ電話しよう。公衆電話探して」

桃子が周囲を見回す。少し離れたコンビニの前に電話ボックスがあった。二人で駆け込んだ。桃子が自分でコインを入れ、葉書を取り出し番号をプッシュした。「はい」と受話器を二郎に手渡す。

「おいっ、桃子」二郎は慌てた。「きたねえだろう」渡し返そうとするが、桃子は手をうしろに回している。くそう、これだから女は——。

「もしもし」受話器から声がした。仕方がないので二郎が話した。

「あのう、上原二郎ですけど」フルネームで言った。

「はい」お祖母ちゃんの声ではなかった。「誰をお呼びしますか？」

どうやら家の子の友だちと思われたらしい。

「お祖母ちゃんを……」と言うと、「大女将《おおおかみ》様ですね。お店の方に回しますから」と答えが返ってきて、保留のメロディが流れた。二郎の喉《のど》が鳴る。

「二郎君？」お祖母ちゃんの明るい声が耳に飛び込んだ。

「あ、はい、そうです」かしこまって答えた。

「ねえねえ」桃子が横から受話器を奪い取った。「お祖母ちゃん？　わたし桃子」

「まあ、桃子ちゃんも」離れていても弾んだ声が聞こえた。

なにやら桃子と話している。「今？　お店のすぐそばの電話ボックス」桃子は馴《な》れ馴れしい言葉遣いだった。

受話器を置く。二郎には目もくれず、電話ボックスから駆け出した。「なんだよ、どうしたんだよ」二郎があとを追う。すると「大黒屋」の自動ドアが開き、中からお祖母ちゃんが出てきた。満面に笑みを浮かべている。

「あらー、桃子ちゃん、二郎君。よく来てくれたわねー」両手を広げ、桃子を抱きしめた。見れば見るほど母とそっくりだった。父が言っていたとおり、二十五年たつと母はこうなるにちがいない。

二郎たちは、大歓迎で招き入れられた。お祖母ちゃんは何度も「よく来てくれたわね」と肩を叩《たた》き、そばから離そうとしなかった。そして方々に電話を入れ、店の奥のエレベーターで七階に案内された。どうやらこのビルの七階と八階がお祖母ちゃんの家の住居らしい。

家の中のらせん階段というものを初めて見た。居間にグランドピアノがあるというのも。絨毯《じゅうたん》とソファはふかふかだ。お手伝いさんが、紅茶とクッキーを運んできた。ティーバッグじゃない、ポットに入った紅茶だ。

桃子は目を輝かせ、部屋を眺めまわしていた。きっと学校で大袈裟《おおげさ》に自慢することだろう。お姫様気分を満喫しているのだ。白髪のおじさんが現れた。「よく来たね」顔をくしゃくしゃにしている。きつく抱きしめられた。どうやら自分たちのお祖父《じい》ちゃんらしい。秘書のような人がそばにいて「社長」と呼ばれていた。

続いて、上の階から女の子が降りてきた。学習院初等科、三年生の加奈《かな》ちゃんだと紹介される。

母には二つ下の弟がいるらしい。つまり二郎たちの叔父《おじ》さんだ。その叔父さんには三人の子供がいる。そのうちの一人が加奈ちゃん。従妹《いとこ》と初めて対面したのだ。残りの二人は塾に行っていて留守らしい。

「いらっしゃい」と、今度は加奈ちゃんのおかあさんが現れる。要するに叔母《おば》さんだ。

桃子は急に緊張したらしく、黙ってしまった。加奈ちゃんという女の子が、いかにもお嬢様風のレースと花柄いっぱいの服を着ていたからだ。桃子はTシャツにジーンズ姿である。

続いて叔父さんがやってきた。銀座の支店から駆けつけたと言っていた。

「いやあ、おねえちゃんにそっくりだ」にこにこ顔で、頭を撫《な》でてきた。「懐かしいなあ、おねえちゃんの子供っていうだけで懐かしいなあ」

みんながソファに腰を下ろした。七人いても、まだ空席があった。一度に一ダースは座れそうなほど、大きなソファなのだ。

まるでテレビで見る上流家庭そのものだった。二郎は喉《のど》がやたらと渇き、叔母さんが注いでくれるだけ紅茶を飲んだ。

思っていたのと勝手がちがった。呉服店の奥に通されて、お祖母ちゃんからお小遣いをもらうぐらいのつもりでいた。なんだか、心の準備もないまま舞台に上げられてしまった気分だ。

おなかは空いてないのか、若葉の鯛焼《たいや》きはどうだ、冷たいものは欲しくないのか――。お祖父ちゃんはちょっとした興奮状態で、なにかと世話を焼こうとする。「落ち着きなさい」とお祖母ちゃんにたしなめられ、それでも抗弁した。

「鯉のぼりも雛《ひな》人形も買ってやれなかったんだ。この先は、さくらがなんと言おうと構うぞ」

「おかあさんには断って来たの?」とお祖母ちゃん。

「ううん」と二人でかぶりを振る。

「じゃあいいのよ、それでも。これからも内緒でいらっしゃい」

「学校はどうだ。学習院に編入させるか。理事長に頼めば二人ぐらい……」

「おじいちゃんは黙っててください」

学習院という名前を聞き、二郎は驚いた。私立の名門校など、絶対に縁のない世界だと思っていた。世が世なら、自分はそこの生徒だったのだろうか。

桃子は加奈ちゃんの部屋に案内された。緊張気味の桃子に、叔母さんが「女の子同士で」と気を利かせてくれたのだ。

店から従業員が呼ばれ、体の採寸をされた。上の階では、桃子も測られているみたいだ。

「二郎君は日焼けしてるから、明るいグレーがいいと思う」

お祖母ちゃんが反物を選んでいる。どうやら二郎にも着物が作ってもらえるらしい。

知らぬ間に寿司《すし》が届いていた。お祖父ちゃんがとったのだ。

「育ち盛りなんだから、いくらだって食べられるだろう」

その言葉どおり、二郎は三人前食べた。こんなに柔らかいトロを口にしたのは、生まれて初めてだった。穴子だって舌の上でとろけるほどだ。

「ほらほら、ゆっくり」

お祖母ちゃんは、新しい孫の世話を焼けるのがうれしくて仕方がないといった様子だ。

みんなが目を細めていた。大人たちの温かい視線を浴びていた。

こんな世界もあるのかと、二郎の中で感慨が湧いてきた。それも、もう遠い世界ではない。なにしろ血がつながっているのだ。

また来ようと思った。自分はここの家族なのだ。

20

桃子の変化は加速度を増した。畳の上で胡坐《あぐら》をかかなくなった。大口を開けて「あはは」と笑わなくなった。髪にリボンを飾るようになった。やけにおしとやかになったのだ。そして、物思いにふけることが多くなった。少女漫画誌のグラビアの、花柄とフリルだらけのファッションページを眺めては、一人ため息をついたりしている。

どうやら、自分の世界に入っているようだ。「おにいちゃん、邪魔」。二郎が視界に入っただけで、疎ましそうに手で追い払う仕種《しぐさ》をする。

父を敬遠するようにもなった。居間で寝転がっている父を、まるで汚いものでも見るかのように眺め、さっさと二階に上がっていく。以前なら、父に構われるのが大好きだったくせに。

桃子には計画があるらしい。姉が一人暮らしを始めたら、その部屋を自分のものにし、ベッドを置きたいのだ。

「おねえちゃん、いつになったら出ていくの？」そんなことを遠慮なく聞く。

「ボーナスが出たら」と姉。

「いつ出るの」

「来月」

それで桃子は機嫌がよくなった。ノートに部屋の見取り図を描き、あれこれ家具を配置しては悦に入っている。

「これはなんだよ」二郎が横からのぞき込んで聞いた。

「ドレッサー」

その言葉を知らなくて聞き返すと、鏡台だと言う。

「どこにあるんだよ、そんなもん。ベッドだって持ってないだろう」

桃子が頬をふくらませた。夢を壊されたとでも言いたげに、二郎を睨《にら》む。

「買ってもらうもん」

「うちにはそんなお金ないの」

桃子は黙りこくり、ノートを閉じた。考えていることがわかったので、先回りして言った。

「お祖母《ばあ》ちゃんにはねだるなよ」

「関係ないでしょう」桃子が色をなした。「あっちへ行ってよ」手で二郎を押した。

「加奈ちゃんの部屋の真似しようったって、うちは畳じゃないか」

つい意地悪を言ってしまった。桃子が変わったのは、新しくできた従妹の影響だとわかっていた。

途端に、桃子が大粒の涙をこぼしはじめた。いけないと思ったが手遅れだった。

「おにいちゃんの馬鹿！　死んじゃえ！」

二郎を押しのけると、姉の部屋に駆け込み、ひくひくと泣いた。

さすがに心が痛んだ。でも謝らない。兄妹《きょうだい》の仲なんて、いつも自然に修復されるものだ。

二郎は変わっていないつもりだ。中野界隈《かいわい》の自転車屋を回り、マウンテンバイクのカタログを収集したくらいだ。

こんなのが欲しいなと空想の世界に浸っているが、実際、お祖母ちゃんにねだるつもりはない。だいいち父や母がそんなことを許すとは思えない。

四谷の家で採寸してもらった浴衣《ゆかた》は一週間で出来上がった。「次の日曜日に来てくれれば渡せるわよ」とお祖母ちゃんから電話があったのだ。

その電話を取ったのは、昼間家でごろごろしている父だった。

「おまえ、四谷へ行ったのか」

学校から帰った二郎に、父は低く声を発した。

「うん、行ったけど」

それがどうかしたの。二郎は反抗したい気持ちで返事した。文句を言われる筋合はない。

「ブルジョア階級の暮らしぶりはどうだった」

「ブルジョア？」

「有産階級のことだ」

「わかんないよ。そんなむずかしいこと言ったたって」

「おまえはプロレタリアの子だ。それを誇りに思え」

「だからわかんないって」

「努力と才能のうえに彼らの生活があるわけじゃない。たまたま資産家の家に生まれただけで、裕福な暮らしが享受できるとしたら、それはすなわち社会のシステムに欠陥がある」

「そうかなあ。先祖は働いて金持ちになったんでしょ。だったら悪くないじゃん」

「ほお。おまえも言うようになったな」父が目を細くした。しばらく間を置いてから、顔を赤くして言った。「いいか、やつらの繁栄は人民から搾取することで成り立っているんだぞ。資本主義とはすなわち強者の論理であって——」

父がなにやら説を唱えている。二郎は相手にならず、台所で牛乳を飲んだ。お祖母ちゃん家《ち》へ行く用事ができた。また寿司をとってもらえるかもしれない。体の奥から甘い気持ちが湧いてくる。二郎には浴衣より寿司の方が大事だ。あのとき食べたトロと穴子は、人生でいちばんのごちそうだった。

「おーい、二郎。ちょっと来い」父が居間で声をあげている。面倒くさいと思いつつ、それでも顔を出した。

父が畳に横になって手招きしている。いやな予感がした。

「なんか用？」

「ここまで来い」

「ここでも聞こえるけど」

「いいから来い」

仕方がないので警戒しながら近づいた。カメレオンの舌が伸びるように、父の手で足首をつかまれた。二郎が尻餅《しりもち》をつく。

「久し振りにプロレスでもやるか」父が不敵に笑った。

「やめてよ。久し振りじゃないよ」二郎が懸命に逃れようとする。しかし、いとも簡単にヘッドロックをかまされ、父の下敷きになった。

「なんだ。口が達者になっただけで、体は子供のままか」

当たり前だろう。こっちは小学生なのに。必死になってもがいた。呼吸困難になりそうだ。

「今回のみ許す。以後、四谷でものをもらうな」

父はどんな顔をして、お祖母ちゃんからの電話に出たのだろう。いつもの大声ではないとしたら、どんな対応をしたのだろう。歯を食いしばって耐えながら、ふとそんなことを思った。

晴天の日曜日、二郎は桃子と二人で四谷のお祖母ちゃんの家へと出かけた。母にはちゃんと告げた。「お昼はいらない」と言う以上、半端なうそは通らないと思った。母は「遅くならないでね」とだけ、横を見たまま言った。

桃子はスカートを穿《は》いていた。足元は一足きりの革靴だ。しかも肩からバッグを提げている。

「何が入ってんだよ」二郎が聞く。

「ハンカチとか、手帳とか」

「メモでもとるのかよ」

「わたしの勝手でしょ」

また泣かれても困るので、それ以上は構わないことにした。

お祖母ちゃんからは「おなかを空《す》かせて来てね」と電話で言われていた。それだけで二郎の喉《のど》はゴクリと鳴ってしまう。寿司なら五人前、ピザなら三枚はいけそうな空き具合だ。

四谷の家に到着する。二度目だけれど、インターホンを押すのには勇気がいった。桃子が押して逃げたため、二郎が来意を告げることになった。

お祖母ちゃんが笑顔で出てきて、七階の居間に通された。前回はあがっていてわからなかったが、落ち着いて見れば、この居間だけで我が家の全面積はありそうだ。

家族勢揃いだった。お祖父《じい》ちゃん、叔父《おじ》さん、叔母《おば》さん、三人の従兄弟《いとこ》たち。加奈ちゃん以外の子供は初対面だ。

「学習院中等部一年の隆志《たかし》君」

お祖母ちゃんに、ひとつ上の従兄《いとこ》を紹介された。背は二郎と同じくらいで、巻き髪の端整な顔立ちの少年だ。「はじめまして」そう言って首を左右に曲げた。

いる様子だ。

「どうも」二郎は口の中だけでつぶやき軽く会釈した。桃子はハンサムな従兄に緊張して

「学習院初等部二年の篤志《あつし》君」

ぺこりと頭を下げたのは、人形のように可愛い男の子だった。桃子の自慢の種が増えたと思った。お祖母《ばあ》ちゃんは、いちいち「学習院」と付けた。

二郎と桃子は、別の部屋で浴衣を着せられた。初めての経験でも生地が上等なのはわかった。新品なのに柔らかく、凧《たこ》のようにならない。桃子は顔を上気させていた。

居間で記念撮影をした。叔父さんが、見たこともないような大型のカメラを三脚に載せ、全員でストロボを浴びた。「笑って」といわれたがうまく笑顔を作れなかった。

もう一度着替え直して昼食になった。残念ながら寿司《すし》ではなく、叔母さんが作った手料理だった。でもこれが豪華だった。サラダやサンドウイッチ、骨付きの牛肉が並んでいる。肉料理はスペアリブだと教えられた。いい匂いがたちこめている。

真っ先に肉に手が伸びる。おいしいことに驚いた。顎《あご》の力を必要としないほど柔らかくて、ソースの味が染みている。

「おにいちゃん」桃子に服を引っ張られた。

はっとして顔を上げると、みながグラスを手に二郎を見つめている。顔が熱くなった。自分は乾杯もしないで肉にかぶりついているのだ。

「いいんだよ、二郎君」叔父さんがやさしく笑った。「温かいうちに食べてよ」

「そうだそうだ。肉は焼きたてを食べるのが礼儀だ」

お祖父ちゃんが助け舟を出し、乾杯は免除されることになった。桃子が軽蔑《けいべつ》の眼差《まなざ》しで見る。代わりに篤志君が人懐っこい目を向けてきた。

二郎は食べながら、スペアリブの数を数えた。全部で十二本あった。九人いて十二本とは、どう判断すればいいのだろう。一人一本ずつ食べるとして、残りは三本になる。自分は二本目を食べてもいいのだろうか。

「隆志。おにいちゃんだから、何かお話をしなさい」と叔母さん。

「うん?」サンドウイッチをつまんでいた隆志君が、気乗りしなさそうに口を開いた。

「二郎君、スポーツは何が好き?」

「野球とか、サッカーとか」

隆志君はまだスペアリブに手をつけていない。肉は嫌いなのだろうか。だとしたらラッキーだ。

「チームには入ってるの?」

「ううん」首を振る。

お祖父ちゃんもお祖母ちゃんも、スペアリブは無視している。年寄りは肉を食べないと聞いたことがある。歯が弱いからだ。でもこの肉はすこぶる柔らかいし、となると、どう判断するべきか。

「ぼくは部活でテニスをやってるんだけどね」

「へー」生返事をする。

そうこうしているうちに、一本を食べ終えてしまった。それも骨が白く見えるほどきれいに。

とりあえずサンドウイッチでお茶を濁す。玉子もハムも具沢山だ。
「桃子ちゃんは、ピアノ弾ける？」とお祖母ちゃん。
「弾けない」スペアリブをかじりながら桃子が答える。
「加奈ちゃんは五歳のときから習っていて、コンクールで入賞したこともあるのよ」
「すごーい」

加奈ちゃんを尊敬の目で見ている。最初は照れていた二人だが、今はソファに隣同士でぴったりくっついている。

その加奈ちゃんがスペアリブに手を伸ばした。ナプキンで端を包み、上品そうに食べている。そうか、ああしなければならなかったのか。

叔父さんも手にした。大人も食べるみたいだ。そりゃそうだろう。ごちそうだし。

二郎は早食いなので、サンドウイッチを一巡し、すぐに手持ち無沙汰《ぶさた》になった。ジュースを飲んで、ひたすら様子をうかがっている。

なにやら会話をしていたが耳に入ってこなかった。二郎の家で牛肉など出ようものなら姉まで加わって取り合うのに、ここではみながおっとりしていた。ついでにといった感じで食べているのだ。

我慢できなくなって二本目に手を伸ばした。誰も注意を払わなかったのでほっとした。やっぱりおいしい。どうしても頰が緩んでしまう。

あっという間に食べ終え、皿を見る。まだ五本あった。

「二郎君は、将来何になりたいの？」と叔父さん。

「まだ決めてない」二郎が答えた。

「そうだろうなあ、まだ小学生だし」

「隆志は弁護士になるんだって」とお祖母ちゃん。「呉服屋は継がないなんて言ってるの」

「いいじゃん、そんなの。職業選択の自由だから」隆志君が少しむきになっている。

注意がそれたところで二郎は三本目を手にした。もはや手が勝手に伸びていた。

それにしても、この家の人たちは、どうしてスペアリブを前にして平然としていられるのか。別の惑星にでも来た気分だ。加奈ちゃんのピアノの話で盛り上がったりしている。なんだか強欲な気分になり四本目を口に運んだ。桃子と一瞬目が合う。非難の色が見て取れた。しょうがないだろう、おいしいんだから。心の中で弁明した。

そしていよいよ皿のスペアリブは最後の一本となった。世の常で、誰も手をつけようとしない。

残るくらいなら――、そう思って二郎が手に取り、かぶりついた。

「うそぉ。スペアリブ、もうないわけ？」そのとき、隆志君が声をあげた。

肉を頰張りながら、再び二郎の顔が熱くなる。しまった。いくらなんでも、やりすぎか。

「おれ、一本しか食べてないのに」

「隆志。お客さんの前で失礼でしょう」叔母さんがたしなめた。「これは二郎君たちに食べてもらうために作ったのよ」

「二郎君、それ何本目」隆志君に聞かれた。

「……あの、ええと、何本だっけ」汗が出てきた。

「五本目」篤志君が横から言った。「早食いだから、面白くて数えてた」目をくりっとさせ、悪戯《いたずら》っぽく笑っている。

「五本？　すげー」隆志君が、口の端を皮肉めかして持ち上げた。

桃子は赤くなっていた。たぶん自分もそうだ。食べかけのスペアリブを、思わず皿に戻した。

「やめなさい。怒りますよ」叔母さんが子供たちを叱った。すぐさま二郎に向き直り、「うれしいわ、たくさん食べてくれて。おいしかった？」と笑みを投げかける。

「あ、はい」うつむいたまま答えた。汗がどんどん噴き出てくる。

「食べて、食べて」叔母さんが皿を二郎の前に置く。「ごめんね。隆志が変なこと言って。中学に上がってから反抗期なの」

でも手が出せなかった。座には気まずい空気が流れている。

お祖父ちゃんもお祖母ちゃんも、場をとりなそうとして「男の子はたくさん食べなきゃ」「そうそう」などと言っている。

もう自分が食べるしかないのに、そうすることができなかった。かじった跡がついたスペアリブが一本、ぽつんと皿に載っている。

食後は従兄弟たちの演奏会が催された。加奈ちゃんがピアノ、隆志君と篤志君がヴァイオリンという編成だ。隆志君は「面倒くさいなあ」と渋っていたが、叔父さんに睨《にら》まれて楽器を手にした。

正直なところ、二郎にはありがた迷惑だった。食事の一件ですっかり気後れして、早く帰りたかったのだ。だいいちクラシックなんて、二郎には窮屈なだけだ。

聞いたことはあるけれど名前は知らない曲を演奏していた。素人目にも上手だというとがわかった。今になって気づいたが、隆志君と篤志君はスラックスを穿《は》いていた。折り目のあるズボンなんて、二郎は一本も持っていない。

世界がちがうな。乾いた気持ちで思った。お祖母ちゃんには会いたいが、家族全員ならもういい。自分には合いそうにない。

演奏が終わり、拍手した。

「もういい？」と不機嫌そうに隆志君。どうやらこの従兄《いとこ》は自分たちのことを歓迎していないようだ。「二郎君も何かやる？」顎《あご》をひょいと突き出した。

「いや、音楽は苦手だから」手を振って答える。

「じゃあ、何が得意なの？」

「……体育なら得意だけど」

「とんぼ返りできる？」横から篤志君が言った。

「うん。できるよ」

「やってやって」

せがまれて、みんなの前でやることになった。広い居間の隅でひょいとうしろに一回転する。

「おーっ、すごいすごい」大人たちが驚きの声をあげる。隆志君は鼻をひくりとさせただけだが、篤志君は跳び上がってよろこんだ。

ややほっとする。何かお返しができた気になった。

次の瞬間、嘔吐《おうと》がこみ上げた。いけないと思う間もなく、二郎は胃の中の物をもどしていた。絨毯《じゅうたん》に吐瀉物《としゃぶつ》が飛び散ったのだ。

血の気がなくなる。続いて出てこないよう、震える手で必死に口を押さえた。でも指の間からこぼれ落ちる。叔母《おば》さんが顔色を変え、二郎をトイレへと引っ張って行った。

泣きたくなった。なんて失態だ。こんなの初めてだ。

視界の端に桃子が映った。手で顔を覆っている。

トイレで吐いた。食べたものがすべて、バケツをぶちまけるように喉《のど》から出ていった。苦しくて目に涙が滲《にじ》む。

お祖母ちゃんが後をついてきて、背中をさすった。

「ごめんね。無理にあんなことさせて」

「気にしちゃだめよ」

二人で交互に慰めてくれた。でも、気休めにもならない。このあと、どんな顔をすればいいのか。恥ずかしくて死にそうだ。このまま逃げ去ってしまいたいくらいだ。

吐き終えて居間に戻ると、隆志君は自分の部屋へと消えていた。篤志君は「二郎君、ごめんなさい」とひとこと言い、階段を上がっていく。叔父《おじ》さんに命じられて謝ったのだろう。加奈ちゃんは桃子の肩を抱き、髪を撫《な》でていた。桃子の顔色はなかった。

帰ると言ったが、すぐには解放してもらえず、小一時間ほどぎこちない会話を交わした。お祖父《じい》ちゃんが戦争の頃の四谷の話をし、それに聞き入っていた。

見送られ、エレベーターに乗ったときは心底ほっとした。

帰り道はうつむいて歩いた。桃子はひとことも口を利いてくれなかった。

21

四谷の家での一件は二郎の心の傷になりそうだった。思い返すだけで血の気が引き、ワーッと叫び出したくなる。

あの従兄弟《いとこ》たちとは仲良くなれないな——。隆志君の冷淡な態度を見て、二郎はそう思った。お祖母ちゃんや叔母さんは、新しい親戚《しんせき》のことをどうやって説明したのだろう。二郎と桃子を説明するためには、まず母の話をしなければならない。一度も会ったことのない母のことを、隆志君はなんて聞かされたのか。もしかすると、二郎が知らないことも知っているのかもしれない。

桃子は加奈ちゃんと文通を始めたみたいだ。可愛い封筒や便箋《びんせん》を買い揃えていた。桃子は二郎ほど気後れしていない様子で、いまだ夢見る乙女だ。ベッド搬入計画も諦《あきら》めていない。男と女は、上流の暮らしに対して、憧《あこが》れる度合いがちがうのだろう。

一度「ゲロ兄貴」と呼んだので尻《しり》を蹴飛《けと》ばした。ひくひくと泣いて、母につげ口した。なにが学習院だ。自分は区立で充分だ。淳や向井がいる。サッサもハッセも南先生も――。

そんなある日、父が中野ブロードウェイで大立ち回りを演じた。

昼間、アキラおじさんと歩いていて、突然誰かと喧嘩《けんか》になったというのだ。相手は五、六人いて、あたりは騒然となったらしい。

警察から連絡を受け、母が店を閉めて迎えに行った。あちこちでトラブルを起こす父ではあったが、暴力沙汰《ざた》となると珍しいことだった。百八十五センチの大男に戦いを挑む勇者はそれほど多くないし、父は父で「こっちから手は出さん」という主義の持ち主だった。不良グループと肩でもぶつかったのだろうか。だとしたら気の毒な不良たちだが。

日が暮れた頃、アキラおじさんだけが警察から帰ってきた。

「おかあさんはまだ用があるから、ぼくが晩御飯作るね」

そう言って台所に立ち、冷蔵庫に買い置いてあった豚のばら肉を焼きはじめた。二郎が横でキャベツを刻む。桃子は食器をテーブルに並べた。

「おとうさん、誰と喧嘩になったの?」二郎が聞いた。

「うん?」アキラおじさんが言葉を探している。「ぼくのあとをつけてくる連中がいて、さらにその連中をつけている人たちがいて、全員が鉢合わせしちゃったの。それでおとうさんが怒ったわけ」

まるで理解できなかった。父のいる世界は謎だらけだ。

「コウアンっていう人たちでしょ」桃子が口をはさんだ。

驚いて桃子を見る。アキラおじさんも振り返った。

「なんで知ってんだよ」

「お店に来た警察の人たちに向かって、おかあさんが怒ってた。『うちの主人は、もう公安に尾行されるいわれはありません』って」

「ふうん」二郎は刻んだキャベツを皿に盛った。「公安」は辞書で引いたことがある。それでわからず向井に聞いたが、物知りの向井でも知らなかった言葉だ。

「ねえ、公安って何?」この機会とばかりに、アキラおじさんに聞いてみた。

「小学生は知らなくていいこと」そう言い、焼いた肉にゴマを振りかけた。

「きたねー」二郎が顔をしかめる。「都合が悪いと大人はそればっかり」

「説明がむずかしいんだよ」

「じゃあヒント。その人たちは正義の味方ですか」

「うーん」アキラおじさんが眉間《みけん》に皺《しわ》を寄せ、唸《うな》っている。「そうじゃないな。うん。正義の味方じゃありません」自分で納得するようにうなずいた。

「じゃあ、悪い人たちですか」

「そう。悪い人たち。世の中をよくしようと思っている人間の邪魔をする悪党たちだ」

「じゃあ、その悪党を懲らしめようとしたおとうさんが、どうして警察に連れて行かれるのですか」

「うーん……」いっそう難しい顔になる。アキラおじさんは腕を組んで黙り込んでしまった。

「ねえ、早く食べようよ」

桃子がテーブルで言う。肉はもう皿に取り分けてあった。

「おい、お前の方が肉、多いじゃん」

二郎が肉の盛り方を点検して文句をつけた。桃子の皿から箸《はし》で二切れ移動させたら、それで喧嘩になり、アキラおじさんが自分の肉を分け与えることで決着がついた。

「おとうさんはね……」三人で食卓を囲みながら、アキラおじさんがぽつりと言った。「ぼくを庇《かば》ってくれたんだよ。ぼくだけ先に帰ってこられたのは、おとうさんが『アキラは手を出すな』って代わりに戦ってくれたおかげなんだよ」

どう答えていいのかわからないので、桃子と二人で黙って聞いていた。

「馬鹿だよなあ、あの連中も。公安につけられてることも知らないで、ぼくのことをつけてくるんだから。おかげでこっちは、この家に居候になってることがばれちゃったよ」

ひとりごとのように言い、吐息をつく。

またしても謎が増えた。アキラおじさんは、本当に何者なのか。

桃子がポリポリとタクアンをかんだ。その音が静まり返った台所に響いている。

22

父は翌日の夕方に帰ってきた。不機嫌そうな顔で台所に現れると、冷蔵庫から冷たい麦茶を取り出し、コップに注いで一気に飲み干した。二郎と桃子とアキラおじさんの三人で、夕食の支度をしているところだった。

「哀れなものよのォ。時代に取り残された連中は」テーブルに腰を下ろし、誰とはなしに語りかける。「要するに、戦うべき相手がやつらには見えてないんだ。深い霧の中で谷底に石を投げているようなものなんだろうな。反応がまるでない。誰からも相手にもされない。だから自分の陣地を守ることしか頭にないわけだ」大きく伸びをし、首を左右に曲げた。「まったくくだらない連中だ。理想を実現することより、組織を維持することに汲々《きゅうきゅう》としている。世間と乖離《かいり》していることにも気づかず、運動にしがみついているんだ」

「おとうさん」二郎が聞いた。

「とんかつだけど、おかあさんが帰ってからにする?」

「なんだ」

「……いや、おれのぶんも一緒に揚げてくれ。腹が減って待てない」

「あのう」アキラおじさんがあらたまった口調で言い、父に向き直った。「本当にすいませんでした。うしろには気をつけていたつもりだったんですが」深々と頭を下げる。

「いいってことよ。おまえは理想を失うな。現在の戦いは本当の戦いではない。執行部の権力闘争など単なる内ゲバだ。ああいうやつらはさっさと排除して、組織を立て直した方がいい」

「はい」アキラおじさんがあらたまった態度でうなずいた。

「ねえ、おとうさん」

「なんだ」うるさそうに言う。

「おとうさんはソースにケチャップ混ぜる?」

「混ぜない。ケチャップとアメリカ帝国主義はおれの敵だ」

「なによ、それ」

「うるさい。話の邪魔だ。それよりアキラ、例の仕掛けはまだ生きてるのか」

「大丈夫です。ゆうべ確認しましたが、連中は気づいていません。二郎君のおかげです」

「ぼくのおかげって?」

「おまえはうるさいんだ」

父が目を吊《つ》り上げる。仕方がないので二郎は流しに向かい、豚肉をパン粉でくるんだ。

「しかしまあ……」父がため息をつき、ぽつりと言った。「我らが革共同《カッキョウドー》も落ちたものだな。かつては公安の一線級が行動確認《コウカク》についたのに、昨日の捜査員どもはなんだ。退職間際のジジイじゃないか。喧嘩も止められないでおろおろするばかりだ」

カッキョウドー？　でも聞かないでおく。

「まったくですね」アキラおじさんが目を伏せ、小さく笑った。「でも、ここにいるのがばれた以上、長居はできませんね」

「かまうもんか。堂々としてろ」

「さっき表を見たら、早速イヌが二匹ほど……」

「どうせ死に損ないだろう。走ってまけばいい」

「こうなったからには早めに済ませます」

「ああ」父の乾いた声だった。「おれが挫折《ざせつ》したぶん、おまえが頑張ってくれ」

「挫折だなんて……。上原さんは自分から身を引かれただけじゃないですか」

「いいや、一人になりたいなんて挫折と同じだ。階級的視点がなくなったっていうことだ」

「とんかつ、揚がったけど」二郎が言った。

「おお、うまそうだな。おれはポン酢で食べるぞ」と父。

「とんかつをポン酢で？」

「そうだ。大根を出してくれ」

父は立ち上がると自分で大根をおろし、それをとんかつに載せ、ポン酢をかけて食べはじめた。

おいしそうに見えたので二郎も真似をする。悪くなかった。

「二郎、キャベツが太い」と父。

「じゃあ自分で切りなよ」口をとがらせた。

父はいつもと変わらぬ様子で夕食を口に運んでいる。その手にはいくつもの小さな切り傷があった。


夜、電気を消してから、布団の中でアキラおじさんに訊《たず》ねた。

「カッキョウドーってなに？」

父には聞きづらいが、アキラおじさんなら聞けそうな気がした。父は「我らが」と付けてその言葉を発した。

「うん？」少し間を置いた。「そういうグループ。亜細亜《アジア》革命共産主義者同盟を省略した呼び名だよ」アキラおじさんは隣の布団で天井を見たまま言った。

「ふうん」返事をしながらも、「革命」という単語に少しどきりとする。

「ぼくはそのグループに入ってるんだ」静かな口調だった。「学生時代に共産党に入党したんだけど、すぐに失望しちゃってね。あそこはもう保守政党なんだよ。だいたい安保破棄の路線を放棄するなんて、日和見もいいところさ。『ルールある資本主義』なんて言ってるけど、結局は理想を捨てたんだよね」

二郎にはちんぷんかんぷんだった。小さく鼻息を漏らす。

「そんなとき、同じ大学にある革共同から誘いを受けて、同じ志を持った仲間がいたからそこに入ったわけ」

「同じ志って？」

「理想社会の追求さ。みなが平等で、豊かで、戦争のない社会を実現したいんだ。二郎君はそういうの、いいと思わないかい？」

「いいと思う」

「だろう？　そのためにはプロレタリア革命を起こさなきゃなんないのさ」

「プロレタリア革命？」

「すべての労働者が立ち上がって、ブルジョアを殲滅《せんめつ》するのさ」

「ふうん」父も言っていた言葉だ。プロレタリアとブルジョア。「ねえ、アキラおじさん。おとうさんも同じグループなの？」

「昔はね。ぼくが入党したころはもういなくて、大学では伝説の闘士として知られていたよ。右翼学生も道を避《よ》けて通ったって言うくらいのね。なにしろ琉球空手《りゅうきゅうからて》の達人だから」

初耳だった。今ではジョギングひとつしない父が。

「おかあさんは？」

「二郎君のおかあさんもかつては闘士だったさ。二十年前は、『御《お》茶《ちゃ》ノ水《みず》のジャンヌ・ダルク』って呼ばれてたみたいだよ。美人だし」

「ふうん」

ジャンヌ・ダルク、か。いちいち質問する気が起きなかった。自分にはすべてが難し過ぎる。それに、瞼《まぶた》が重たくなってきたのだ。

「今の世の中、一見平和そうに見えるけど、それはマスコミが事実を伝えていないからに過ぎないんだよ。世界中のあちこちで紛争は起こっているし、その大半はアメリカの覇権主義のせいなんだ」

二郎は目を閉じた。頭が枕にゆっくりと沈んでいく。

「そして日本ときたら、アメリカの完全な手先で、言われるままに金を醵出《きょしゅつ》している。要するにいい金づるなのさ。政府が腰抜けなんだな。おまけに国民は平和ボケしていて、正当な権利をごまかされていることにすら声をあげない」

アキラおじさんは一人でしゃべっていた。その声は徐々に小さくなっていった。

翌日の放課後、二郎は向井のところへ行った。ゆうべのアキラおじさんの話を、向井ならわかるのではないかと思ったのだ。

「カッキョウドー？　なんか聞いたことがあるな。ニュースで耳にしたのかな」向井は手で顎《あご》を撫《な》でている。「どんな字だっけ」

「わかんない。正式名称は亜細亜ナントカ同盟って聞いたけど」

「ナントカじゃわからん」ダミ声で言われた。

「革命が入ってたのは憶《おぼ》えてる」

向井はノートを広げると、「革」という字を書いた。そして一字ぶん空けて「同」も書いた。なるほど。その推理は正しいと思った。

「あとは『キョウ』だな」

「協力の『協』かな」

「ちがうだろう。革命とか言ってて、それは大人し過ぎるだろう」

「じゃあ強制の『強』」

「それもどうかな。共犯の『共』とか、そっちの方があるんじゃないのか」

「共犯？」二郎はややむっとした。それじゃあまるで犯罪集団みたいだ。

「だってニュースでやるってことは、何か事件を起こすからだろう」

向井がノートに「革共同」と書く。「よし、インターネットで調べてみよう」二人でパソコン室に行くことにした。

六年生になってから、週に二回パソコンの授業が始まったが、二郎はあまり得意ではない。ローマ字入力の促音がまだあやふやなのだ。

一階のパソコン室には数人の生徒がいた。利用者ノートに名前を書き込み、一度職員室へ行き、先生のハンコをもらう。部屋の隅のパソコンを確保し、スイッチをオンにした。

向井が「革共同」とキーを打つ。マウスで検索をクリックした。するといくつもの項目が画面上に現れた。二千件以上のヒット数だ。

「おい、有名なグループじゃん」と向井。二郎も驚いた。

「当たったな。共犯の共の字で」

「ああ」

二郎が生返事をする。そんなことより、いちばん上の項目を見て、胸に針が刺さったような痛みを覚えた。そこには、「過激派集団・革共同〜見えてきたその正体〜」という一行があったのだ。過激派集団？　悪いグループなのか？

「じゃあ、一番目から見てみるか」向井が言い、その行をクリックした。

画面がぱっと切り替わり、どこかのホームページにつながる。まずは「革共同とは」という一文があった。向井が声に出して読み始めた。

「革共同は、正式名称を『亜細亜革命共産主義者同盟』と言い……」

「おい、どこが共犯の共だ」二郎が抗議する。

「共産主義か。悪い、悪い」向井は再び音読した。「……昭和四十二年、日革派と分裂して組織されました。思想的には、マルクス、レーニン、トロツキーの革命理論を基礎としており、『帝国主義とスターリン主義の打倒』を掲げ、東西冷戦終焉《しゅうえん》後もプロレタリア世界革命及びその一環としてアジア革命を目指している団体です」

むずかしくて、てんで理解できない。ただ、物騒なグループらしいことはわかった。心に影がさす。

「革共同は、昭和六十年ごろまで陰湿なゲリラ事件を次々と引き起こしていましたが、最近は、表面上は暴力性を隠して、組織拡大に重点を置き、各界各層への浸透を図る戦術をとっています。しかし、機関紙上では依然として『ブルジョア国家の転覆を目指す革命党』であることを繰り返し主張し、組織内の結束を図っています」

胸の中で、灰色の空気が充満していった。ゲリラ事件と聞けば、爆弾とか、銃の乱射とか、思い浮かぶのはそういう言葉ばかりだ。

「なあ二郎。これ、どこのホームページなんだ?」

「おれに聞いたって——」

「ちょっと見てみるか」

向井がそう言い、「ホームに戻る」をクリックする。果たして現れたのは、「警察庁ホームページへようこそ」という大きなタイトルだった。

「警察かよ」向井が声をひそめる。「警備局公安部だってよ」

画面には自分たちが見ていたページが示されていた。

ああそうか、これが公安なのか。二郎はごくりと喉《のど》を鳴らした。アキラおじさんが入っていて、父と母も過去には一員だったそのグループは、警察の公安というところからマークされているのだ。

再びページに戻った。今度は「繰り返される内ゲバ」というタイトルだ。向井が読み上げる。

「革命勢力各派には、共通して自派の革命理論、戦術方針こそが唯一正しく、他派は革命を妨げ混乱させる有害な勢力であるとする考えがあります。内ゲバは、このような考えに根ざす党派闘争が暴力抗争の形態をとったものと言えます。革共同においても、昭和四十年代後半から派閥との間で内ゲバを繰り広げ、とくに栗山議長の片腕的存在だった行動隊長の上原一郎が脱党し、アナーキストに転向してからは――」

向井が振り返った。「おい、これ、おまえの親父さんだろう」目を丸くしている。

「もういいや」二郎は思わずそう言っていた。「閉じようぜ。だいたいのことはわかったし」顔中に汗が噴き出ていた。パソコンに手を伸ばす。

「ちょっと待てよ」手で振り払われた。「……栗山派と副議長の岡田派に分かれ、二十年にも及ぶ内部抗争を今なお繰り返している」

「もういいって」向井の背中を引っ張った。

「アナーキストって何かな。これも調べてみるか」

「調べなくていい。向井には関係ないことだから」

「なんだよ。おまえが聞いてきたことだろう」

「もう終わり」

向井を立たせる。マウスを奪い取り、パソコンを終了させた。親友といえども、これ以上家のことを知られたくなかった。心臓が高鳴っている。胸が締めつけられた。

向井が口を一文字に結び、二郎に向き直る。「べつに言いふらしたりなんかしないぜ」やさしい声で言った。

「もういい」

「それに、過激派に入ってたって言っても、もう二十年も前のことだろう。おれたちが生まれるずっと前の話じゃないか」

「いいってば。しゃべるな」

とがった声を発した。大方の予想はついていたが、警察のホームページに名前が載っていたのは、やはりショックだった。自分が思っていたより、父はずっと有名人らしい。それもよくないことで。

「おい、二郎」

そのとき声がかかった。教室の入り口に淳が立っている。青い顔をしていた。

「ここにいたのか。探したぞ」

「なんだよ」

「カツだよ、カツ」声を低くして言った。「校門の前にいるんだよ、子分を連れて」

二郎の急所が縮み上がった。この問題がまだあったのか。二郎は、忘れかけていた自分の迂闊《うかつ》さを呪った。

23

「ドッジボールをやってたら、なんか不良っぽい中学生が何人か校門のところにいるからよォ、なにげなく見たら……」

淳が状況を説明する。下校する六年生を捕まえては何事か聞いていたらしい。きっと自分の所在を確かめているのだ。

憂鬱《ゆううつ》になった。この前のようなパワーなど、もう出るとは思えない。

「それはいかんな。南先生に言って追い払ってもらおう」

向井が歩き出した。

「待てよ。南先生は関係ないだろう」

二郎が止めた。南先生の手を煩わせるのがいやだったし、それで余計にカツの怒りを買うことは目に見えていた。子供の世界に大人は無力なのだ。

「じゃあどうするんだ。話し合いなんかで済むわけがないぞ」

カツの残忍な笑い声が記憶に甦《よみがえ》る。膝《ひざ》が小さく震えた。

「裏門から逃げようぜ」淳が言った。「おれだって捕まったらただじゃ済まねえよ」

「ああ、そうだな」

淳の提案に従うことにした。根本的にはなんの解決にもならないが、今日殴られるのはいやだ。

リュックを背負い、三人で裏門へと走った。緊張のせいか喉がからからに渇いている。なんでこうなるのか。自分の周りは難問だらけだ。父といい、カツといい……。

門柱の陰に誰か立っている。見ると黒木だった。ふらりと歩み出て二郎たちの前に立った。

「黒木」二郎が声をあげる。「黒木じゃないか」

「表から帰りな」不機嫌そうに声を発した。

「おまえ、児童相談所じゃないのか」

「べつにそこで寝泊りしてるわけじゃねえよ」相変わらず目をしばたたかせていた。

「ここで何してんだ」

「だから、表から帰れって言ってんだよ」

「おまえまさか……」淳が横から口をはさむ。「カツの子分に戻ったんじゃないだろうな」

「子分じゃねえ。口の利き方に気をつけろ」黒木は苛立《いらだ》った様子で地面につばを吐いた。

「じゃあなんだ」

「友だちとして頼まれたんだよ。裏門で見張っててくれって」

二郎の中で、暗い気持ちが渦巻く。怒りというより、悲しみの方が大きかった。江ノ島まで一緒に逃げた夜はなんだったのか。自分では、友情が芽生えたと勝手に思い込んでいた。

「カツさんな、おれについては水に流してくれたんだよ。『おまえも片親で苦労してるだろうから』ってよォ。けっこうやさしいぜ。飯も奢ってくれたし」

「イヌ」淳が語気強く言った。「おまえなんかイヌだ。餌をもらえりゃあ誰にでも懐くんだろう」

「なんだと、この野郎」

 黒木の顔が一瞬にして赤く染まる。淳の胸倉をつかむと、左右に激しく揺すった。

「やめろ、やめろ」向井が割って入る。「なあ黒木。今日のところは見逃してくれないか。カツには『見かけなかった』って報告してくれ」

「そうはいくか。こっちは借りができたんだよ」

「おまえは友だちを売るのかよ」

「友だち? 都合のいいときだけ友だちか。馴れ馴れしくするんじゃねえ」

「おい、淳を放せ」二郎が言った。「逃げやしねえよ」正面から黒木を睨みつけた。

 大きく息を吐く。急に逃げるのが面倒くさくなった。カツは怖いが、この先怯えながら毎日を暮らすかと思うと、そっちだって同じくらい気が滅入る。

「二郎、不良なんかとかかわるな。こんなものは逃げるが勝ちだぞ」と向井。

「いいよ、もう」

 やけっぱちな感情もあった。どうせ自分は普通の家の子ではない。父は元過激派だ。

「ほう、観念したか」黒木が口の端を持ち上げる。

「その代わり、おまえとは今度こそ絶交だ」

「なんだ。子分にしてやってもよかったのに」

「ほざいてろ」かっと血が上った。

黒木が携帯電話を取り出す。「もしもし、カツさんですか……」

カツの凶暴そうな顔が頭に浮かんだ。唇が震えそうになるのを、奥歯を噛《か》み締めてこらえた。

なんとでもなれ。命までは取られやしない。

近所の神社の、大きな石碑の裏でカツと向かい合った。仲間を三人連れていた。

あらためて見ると、カツは三つも四つも年上に見えた。胸を反らせ、ガムをくちゃくちゃ噛んでいる。

「会いたかったよー、上原クン」芝居がかった声色で言い、ゆっくりと近づいてきた。

二郎は視線をカツの胸元に落とした。どういう態度をとるべきか。卑屈そうな顔は見せたくない。しかし目を合わせれば挑戦的と思われる。

この期に及んで迷いがあった。黙ってやられるのか、抵抗するのか、覚悟がつかない。

「おまえのおかげでよォ、こっちは大恥かいちまったぜ。噂ってのは速いわけよ。『小学生にやられたのか』って、ヨソの学校のやつにまでからかわれてな。もちろん、そういうやつは血ィ見せてやったけどよォ」

カツがガムを吐き捨てる。玉砂利の上を二、三度跳ねて草むらに消えていった。

「おれも困ってんだよ、上原クン。小学生相手にリベンジするってのも恰好悪《かっこうわる》いし、かといって何もしなきゃ形がつかねえしよォ。どうすりゃあ世間は納得するだろうって……」首を左右に曲げ、骨を鳴らした。「そこで考えたんだが、この先当分、おまえに自転車でおれ様の送り迎えをさせることに決めたから。牛乳配達で使うような荷台のしっかりしたやつをどっかで盗んできてよォ、荷台に座布団をくくりつけて、朝と夕方、迎えにこい。な、頼むぞ運転手クンよ」

不気味に笑い、肩をぽんと叩《たた》いた。

「いやに決まってるだろう」二郎が言う。声がかすれた。

「ノー、ノー、ノー」

カツが外人のようにかぶりを振った。

「断れないの、これは。今日からおれはおまえのご主人様なわけよ。奴隷がご主人様に逆らうか？　今後一切、口答えは許されないわけよ」

「いやだね」

腹に力を込めて言う。カツの顔色がすうっと変わった。

「おい、上原。親指を立てろ」

「……なんでだよ」

「いいから立てろって」一転してわざとらしく笑顔を作る。

わけもわからず従った。

親指を握られた。手前に捻《ひね》られた。激痛が走る。地面に跪《ひざまず》いた。「あーっ」悲鳴をあげていた。

「ナメんじゃねえぞ、このガキが！」

カツの怒声が鼓膜を震わせた。二郎は体を反らせ、仰向《あおむ》けに転がった。

「じっとしてろよ」靴で顔を踏みつけられる。「おーい、シュンスケ。写真、写真」

名前を呼ばれた仲間の一人が、カメラ付き携帯電話を取り出した。画面を合わせ、シャッターを押している。カツを見上げたら、指でピースサインをしていた。なんてやつだ。

悪魔だ、こいつは。少しでも動くと親指を捻られ、その都度激痛に顔がゆがんだ。

黒木に目が行く。白い歯を見せて笑っていた。向井と淳は、蒼白《そうはく》の面持ちで立ち尽くしていた。

「おら、立て」

カツの手から解放される。二郎は親指を押さえ、やっとのことで立ち上がった。

前蹴《まえげ》りが飛んでくる。太ももに当たった。拳《こぶし》が向かってくる。腹部に命中した。

「おまえが運転手をやるまで毎日来るからな。一晩ゆっくり考えろ」

顔を殴られた。熱いものが頬を伝う。瞼《まぶた》を切ったのだとわかった。

「あははは」カツが笑っている。

なす術《すべ》がなかった。体を丸め、カツの暴力に耐えるしかなかった。

学習院に転校したら、こんな世界とはおさらばできるんだろうな。ふとそんなことを思う。

いや、引っ越さない限り、カツは諦《あきら》めないだろう。

嫌気がさした。泣きたくなった。

膝蹴りがみぞおちに命中する。二郎は地面に崩れ落ちた。


家に帰ると、父は居間に寝転がって本を読んでいた。二郎を見やり、驚く様子もなく「よお、色男」と声を発する。二郎の顔は絆創膏《ばんそうこう》だらけだった。向井の家で手当てを受けたのだ。

「おとうさん」立ったまま二郎が言った。

「なんだ」父は寝そべったままだ。

「琉球空手、教えてよ」

数秒黙り、二郎を見つめた。「そんなこと、誰に聞いた」

「アキラおじさん」

「……ふうん」寝返りを打つ。

「ねえ、教えてよ」

「ただでか」

「なに言ってんだ。親子じゃないか」

「効率の悪い野郎だな。前にも言ったろう。鉄パイプで膝のうしろをひっぱたけばいいじゃないか。それでおまえの勝利だろう」

「毎日鉄パイプ持って歩くのかよ」

「おとうさんが若い頃はみんな携帯してたもんだ」鼻の頭をぽりぽりかいていた。

「ふざけないでよ」

父が体を起こした。二郎を見据える。「空手の道はきびしいぞ」低い声で言った。

「うん、わかってるさ」

「親子だからといって手加減はしないぞ」

「うん」二郎は真顔でうなずいた。

「ばーか。冗談だ」父が再び寝転がる。「おまえもノリやすい野郎だな。漫画じゃあるまいし。付け焼刃で喧嘩《けんか》になんか勝てるものか」にやにやと笑っていた。

「なんだよ、こっちは真剣なのに」

二郎が声を荒らげる。頭に来たので父のお尻《しり》を蹴飛ばした。

「痛ててて。貴様、親に向かって」

「少しも親らしくなんかないじゃないか」

興奮したので父にのしかかった。そのままヘッドロックをかける。

「痛ててて。助けてくれー」

なんだ、このクソ親父。いつもふざけてばっかりで――。

視界がぼやける。二郎は知らない間に涙ぐんでいた。

24

翌日、おなかが痛いとうそを言って五時間目を前に早退した。給食をたいらげてから、というのは少々気が引けたが、カツの待ち伏せを避けることしか頭になかった。

二郎の元気のない顔を見て、南先生は自分まで表情を曇らせた。

「そういえば、朝から静かだったものね」二郎の額に手を当てる。「熱はないから、食あたりかなあ」

ただし目の上の絆創膏については、ひとことあった。

「気になってたけど、喧嘩でもしたの？」

「いいえ、転んだんです」目を合わせないで答えた。

「そうかなあ。転んで、そういうところ、切ったりするかなあ」

「自転車で転んで、木にぶつかったんです」

苦しいうそをついて、なんとか逃れる。職員室を出ると自然と肩が落ちた。憂鬱《ゆううつ》で死にそうだ。

淳と向井はカツの件に触れなかった。冷たいというのではなく、彼らなりの気遣いに思えた。なんの策もない以上、二郎は気休めを言われるのもいやだった。

父のように強ければな――。もう何度も思ったことだ。父が言うように、付け焼刃で喧嘩には勝てないだろう。鉄パイプを手にする無鉄砲さがあるかないかなのだ。親子なのにこのちがいはなんなのか。姉よりむしろ、自分こそ本当の子供かと疑いたくなる。

家に帰ると、その父がいつものように居間で寝転がっていた。

「おう、早いな」鼻をほじっている。無視して二階に上がった。子供部屋ではアキラおじさんが腕立て伏せをしていた。

「何してるのさ」

「トレーニング。二郎君もどう?」

こっちも無視した。いい大人が二人も、どうして昼間から遊んでいられるのか。

「ところで、今夜また頼みたいことがあるんだけど」アキラおじさんが息を切らせながら言った。

「いやだ」二郎はぶっきらぼうに答えた。愛想よくしていられる気分ではないのだ。

「冷たいなあ。また寿司《すし》を奢《おご》ってあげるよ」

「いらない」

「どうかしたの?　元気ないじゃない」

「べつに」

「……困ったなあ」眉《まゆ》を八の字にしている。「頼むよ。なんでも言うこと聞いてあげるから」

アキラおじさんを見つめた。カツの一件が頭をよぎる。大人にやっつけてもらおうか。いや、先生に言ってもだめだったのだ。問題が解決するとは思えない。

そんな思案が顔に表れたのか、アキラおじさんが「なんでも言って」と畳に座り直した。返事をしなかった。子供の世界で、大人は役に立たない。それに、大人に喧嘩の助太刀をしてもらうなんて聞いたことがない。勉強机に向かい、頬杖《ほおづえ》をついた。

でも、こういう真面目さが不良たちの思う壺《つぼ》なんだろうな。二郎は心の中でひとりごちた。カツなら、どんな手を使っても対抗するはずだ。鉄パイプを手に持ち、数人がかりで。

「ねえ二郎君、一生のお願い。なんでもするから」

「じゃあ、不良中学生をぶっ飛ばしてよ」不意に口をついて出た。「カツっていう馬鹿がいるから、やっつけてよ」

今度はアキラおじさんが黙った。じっと二郎を見ている。

「なんでも言うこと聞くって言ったじゃん」

「……とりあえず、事情を聞かせてよ」ゆっくりと口を開いた。「いじめに遭ってるのなら、ぼくが力になるけど」

いじめという物言いにカチンときたので、二郎は「喧嘩だよ」ととがった声で返した。

「凶暴で、しつこくて、もう手に負えないの」

「だったら、ぼくが一度会って、きつく注意してあげる」

「そんなのだめ。先生が言っても聞かないようなやつなの」

「うーん」口を真一文字にして唸《うな》っている。「そうだろうなあ。校内暴力って、職員室にでも殴り込みをかけるって言うし……」

無理か、アキラおじさんには。この人は父のような常識知らずではない。

「行くか」アキラおじさんが腰を上げた。「不良中学生をぶっ飛ばしに」しかめっ面で頭をかいている。

すぐには反応できなかった。アキラおじさんの口からこんな台詞《せりふ》が出てくるとは思わなかったのだ。

「しょうがないか。二郎君しか頼む相手はいないし」なにやらひとりごとを言い、二郎に向き直った。「その代わり、こっちの願いも聞いてよね。ちょっと、切羽詰まってて」

アキラおじさんが階段を降りていく。玄関から自分の靴を持ってきた。野球帽をかぶり、サングラスをかける。

「表にイヌがいるからさ」顎《あご》でしゃくった。「まったくご苦労なことだよ。自分ならいくら積まれたってやだね、あんな仕事」

そう言って裏側の窓を開けて、屋根に降りようとする。二郎は事情がわからず、ただ突っ立っている。

「二郎君は、表から出てたばこ屋の角で待ってて。自転車で行くからね」

「……ねえ、どこへ行くの」やっとのことで口を開いた。

のか。

「不良のいる中学。校門で待ち伏せてぶっ飛ばそう」窓の縁から振り返り、何事でもないように言う。

実感が湧かなかった。アキラおじさんは、確か三十歳だ。中学生相手に本気でやる気なのか。

二郎は言われるままに外へ出て、自転車の置いてある裏手に行った。上の方で人影が動く。見上げると、アキラおじさんは隣家の屋根を歩いていた。なんなのだ、このおじさんは。いまさらながら困惑した。

たばこ屋の角で待っていると、アキラおじさんが路地裏から現れ、荷台にまたがった。

「さあ、行くよ」肩を揉《も》まれる。

操られているかのように、二郎は自転車を漕《こ》いだ。

カツの通う中学校は午後の授業中だった。校庭では体育の授業が行われていて、バレーボールに興じる中学生たちの姿があった。

正門前にコイン式の駐車場があり、そこで待ち伏せることにした。

なんとなく、どうでもいい気になった。これで話がややこしくなったとしても、状況が大きく変わるわけでもない。最低の気分が、もう少し最低になるだけなのだ。

アキラおじさんがガードレールに腰を下ろし、「あーあ」と大きなあくびをした。その呑気《のんき》な顔を見ていたら、ひとつ聞いてみたくなった。

「ねえ、アキラおじさんってさあ、うちに来る前は何をしてたの？」

「働いてたよ」

「どこで」

「山谷《さんや》。福祉の仕事。もっともそれはボランティアだから、お金は簡易ホテルのマネージャーをして得てたんだけど」

「ふうん」

「底辺の労働者って、いいように搾取されてるんだ。企業に安く使われて、暴力団に吸い上げられて」アキラおじさんは淡々と話した。「景気が悪くなれば、真っ先に切り捨てられるし、何の保障もないし。誰かが助けないと」

「うん、そうだね」

「ぼくらのグループは、炊き出しをしたり、支援のイベントを開いたり、そういうことをしていたんだよ。ときには暴力団と戦ったりしてね」

「暴力団と？」二郎がアキラおじさんを見る。穏やかな物腰からは想像がつかなかった。

「そうさ。連中にすれば、ぼくらはいやな相手なんだよ。お金のための闘争じゃないから。一回やくざに言われたことがあるよ。『あんたら、懲役が怖くないのか』って。連中は金目当てだから、刑務所に入るのがいちばん怖いんだよね」

物騒な話に唖然《あぜん》とした。やはり父とは同類なのだ。

「ねえ、アナーキストって何？」二郎が聞いた。インターネットで調べていたとき、出てきた言葉だ。

「よく知ってるね、そんな言葉」アキラおじさんが苦笑する。「アナーキストっていうのは無政府主義者のこと。簡単に言えば国家も指導者もいらないっていう考え方」

「うちのおとうさんが、そうなの？」

「うん？」しばし間を置く。「おとうさんが言ったの？」

「そうじゃないけど」

「まあ……そうかな。もっとも二郎君のおとうさんは、元々群れるのが嫌いな人らしかったから、内輪の権力争いに嫌気がさしたんだろうけど」

「おかあさんは？」

「さくらさんは……アナーキストとか、そういうのじゃなくて、単に運動がいやになったんだと思う」

母のときだけ、アキラおじさんの口調が沈んだ気がした。

「うちのおかあさん、刑務所に入ってたってほんと？」

二郎の口からぽろっとこぼれ出た。言った途端に胸が締めつけられた。どうして聞く気になったのか、自分でもわからない。

「誰が言ったの？」アキラおじさんが振り向く。二郎の顔色をうかがっていた。

「今待ち伏せてる、カッって不良。若い頃、人を刺したんだって」

「うそだよ、そんなの」そう言って白い歯を見せる。「さくらさんが、人なんて刺すわけないじゃない。その不良、きっと二郎君を動揺させようとして、口からでまかせを言ったんだよ」

二郎は言葉どおりに受け止めなかった。ポーカーフェイスが逆に不自然に見えたのだ。もっとも、歳の離れたアキラおじさんが、父や母のことをどれだけ知っているのか、二郎には判断がつかない。

「ねえ二郎君」アキラおじさんがやさしい声で言った。「今夜の頼みごと聞いてくれたら、西表島にある船をあげるね」

「船を？」

「そう。漁船だけどね。うちは代々漁師だったんだ。十年前、本島に引っ越して食堂に転業したから、今はちがうんだけど、まだ船は西表に残ってるわけ」

「そんなの、もらっていいの？」

「いいよ。おやじが死んだとき、ぼくが相続したんだけど、たぶん島には帰らないだろうから。……舟浮《ふなうき》っていう集落の海岸につないである。『太郎丸《タルー》』って名前」

「タルーマル？」

「タルーは沖縄の言葉で太郎のこと。二郎君にあげるんだから『二郎丸《ジルー》』に変えればいいさ」

「二郎はジルーなんだ。でも、ぼく、操縦できないよ」

「おとうさんに教えてもらえばいいじゃない」

「うちのおとうさん、船の操縦なんかできるの？」

「できるよ。キューバで魚を獲《と》ってたことあるもの」

「キューバ？　いつの話さ」思わず目を剝《む》いていた。

「二郎君が生まれるずっと前。サトウキビ刈りの勤労奉仕で半年ぐらい行ってたのさ。共産党のバックアップで。そのときついでに漁師の手伝いもしていたみたいだね。船の舵《かじ》を握っている写真を見せてもらったことがあるよ」

いったい父はどういう経歴の持ち主なのか。新事実を知るたびに、めまいを覚えるほどだ。

「そうそう、カストロ議長と肩を組んで写っている写真もあったな。二郎君のおとうさん、カストロと同じくらい大きくて恰好《かっこ》よかったよ」

カストロか。そんな話を姉から聞いたことがあったな。二郎は思い出した。姉は「おとうさん、ホラ吹きだからね」と言っていた。でも本当みたいだ。ぐうたらなのか、大物なのか。まったく、謎だらけの父だ。

そのとき中学校のチャイムが鳴った。六時間目の終わりだ。

「おっと、そろそろ出てくるのかな」アキラおじさんが腰を上げた。

「ねえ、本当にぶっ飛ばすの？」二郎はまだ半信半疑だった。

「だって、そうしてほしいんでしょ？」

「そりゃあそうだけど……」

「大丈夫だって。二度と仕返しに来ないようにしてあげるから」

頼もしかったが、期待はしなかった。アキラおじさんは、カツがどういう人間か知らないから、そんな悠長なことを言っていられるのだ。

部活をしていない生徒たちが、校門に現れ始めた。おおよそ二種類に色分けできた。おとなしそうな生徒と、不良だ。あらためて見ると、この学校の不良たちはみんな性質《たち》が悪そうだった。ほとんど町のチンピラだ。

来年からここに通うのか。憂鬱《ゆううつ》になった。学習院がいいかも。つい弱気になる。

駐車場の中から目を凝らしていると、ほどなくしてカツが現れた。仲間を二人従えて、談笑しながら校門から出てきた。

昼がかすかに震えた。この男なら、きっと大人相手でも平気で向かっていくことだろう。

二郎の顔色が変わったのを見て、アキラおじさんが「あいつ？」と顎をしゃくった。無言でうなずく。

「あーあ、見るからに不良だ。これは遠慮しなくていいな」そんなひとりごとを言った。

「じゃあ、二郎君は一旦《いったん》外に出て。そうだなあ……」首を伸ばし、周囲を見回す。「あのコンビニの前で待っててくれる？　不良たちに見られないようにね」

言われるまま、二郎は自転車を引いてその場を離れた。コンビニからは駐車場の一部が眺められる。

「ねえ、君」アキラおじさんの声がした。カツを呼び止めているのだ。

二郎は息を殺した。思わず頭を低くしていた。

カツが立ち止まる。野球帽にサングラス姿という大人に警戒したのか、表情に緊張が見てとれた。

アキラおじさんが笑顔で手招きする。「カツ君って君だよね。ちょっと話があるんだけど」穏やかな口調だった。そのまま駐車場の奥へと歩いていく。訝《いぶか》りながらも、カツとその仲間が引き寄せられていった。それで二郎からは見えなくなった。

どうしようかと思い、自転車を置いて道路を渡った。見たいとは思わないが、見ないとの方が不安だった。腰をかがめて進み、いちばん手前の車の陰に隠れた。

「おじさん、何か用？」カツの声が聞こえた。駐車場のいちばん奥で向かい合っている。

「君、いい体格してるなあ。何かスポーツやってるの？」とアキラおじさん。

「おじさん、誰よ」

「いや、ちょっとね……」

二郎が車の陰から顔をのぞかせる。アキラおじさんがカツに近寄り、右腕を取るのが見えた。

「なんだよ、放せよ」カツが振りほどこうとする。

次の瞬間、アキラおじさんの顔つきが変わった。サングラスをしていてもわかった。口元には笑みを湛《たた》えているのに、冷徹なのだ。

アキラおじさんとカツの体がくっついた。いやな音がした。木箱がひしゃげるような、骨の折れる音だった。

うそだろう？　血の気が引いた。うそだろう？　その言葉ばかりが頭の中で渦巻いている。

「坊主、あちこちで恨みを買ってんだろう？　胸に手を当ててよく考えろよ」アキラおじさんが低い声で言った。

腕が解き放たれ、カツがその場にうずくまる。二人の仲間は蒼白《そうはく》の面持ちで立ち尽くすだけだった。

アキラおじさんが歩き出した。二郎は慌てて自転車に戻った。震える手でハンドルを握る。サドルにまたがる。

背中を押された。アキラおじさんの手だった。「さあ、行くよ」何事もなかったような、乾いた口調だった。

いいのか？　大人がこんなことして、いいのか？

言葉がなかった。喉《のど》がからからだった。二郎は懸命に自転車を漕《こ》いだ。

25

夜になってアキラおじさんは、子供部屋で自分の持ち物の整理をし始めた。本を紐《ひも》で束ねたり、衣類を紙袋に詰めたり、まるでこの家を出ていくような素振りだった。

「ねえ、何してんのさ」二郎が聞いた。なぜか抗議の口調になっていた。

「あ、そうだ。二郎君にこれあげる」

アキラおじさんは問いかけには答えず、自分の腕から時計を外すと二郎に手渡した。

「国産の安物だけど、手巻きで電池がいらないから、いまどき貴重なんだよ」

そう言って、白い歯をのぞかせている。昼間、垣間《かいま》見せた狂気の片鱗《へんりん》をまるで感じさせない、自然な笑顔だった。

「いいよ、いらないよ」二郎は慌てて返そうとした。「こっちは小学生だから必要ないし、時計がないと、アキラおじさんが困るじゃない」

「困らないさ。仕事をしてるわけでもないし」

アキラおじさんが作業に戻り、半ば強引に譲られる形となった。腕にはめてみる。ズシリと重みがあった。安物には見えなかった。

いつの間にか桃子が部屋に来ていた。「アキラおじさん、どこか行くの?」不安そうな声で聞いた。

「ちょっと二郎君とそこまで」

おどけた調子で言う。話をはぐらかそうとしているように見えた。そして、「桃ちゃんには、これをあげよう」と続ける。アキラおじさんがバッグから取り出したのは、珊瑚《さんご》のネックレスだった。

「わあ、きれい」桃子が途端に目を輝かせた。鎖の先に、小枝のような赤い珊瑚がぶら下がっている。男の二郎が見てもきれいだと思った。

「子供の頃は、海に潜って好きなだけ獲ったものさ。ときどき本島から行商のおじさんが来て買い取ってくれるから、小遣い稼ぎにはなったかな。二十年も前の話だけど」

桃子が首に飾る。よほど気にいったのか顔を上気させていた。

「さてと。じゃあ二郎君、行こうか」アキラおじさんが立ち上がって言った。

「どこへ行くの？」と桃子。

「内緒」思わせぶりに二郎が答えた。実は聞かされていないのだが。

「わたしも行く」

「だめ。男だけ」

「どうしてよ」おとなしい桃子が、今夜に限って食い下がってきた。二郎のシャツの裾《すそ》をつかんでいる。

「桃ちゃん、お土産買ってきてあげるから」とアキラおじさん。

「いらない。わたしも行く」

「だめだって言ったらだめなの」

二郎が桃子の手を振りほどいた。不服そうに口をとがらせている。

アキラおじさんが一階へ降りていった。母はまだ店で、父は居間に寝転がっている。

「じゃあ、行ってきます」「おう」そんなやりとりが聞こえた。どこか重々しい声だった。

靴を手に持って再び二階に上がってくる。小さなリュックを背負った。「二郎君、昼間と同じ場所でね。今夜は自転車で行くから」微笑んでそう言うと、裏側の窓を開け屋根に降りていった。

桃子が頬をふくらませ、睨《にら》みつけてくる。何か言いそうだったので、それより先に二郎は階段を駆け降りた。

「おい、二郎。爪切り、知らないか」父が声をかけてくる。

「知らない」

「じゃあ孫の手は？」

「知らない。見たこともないよ」

ぞんざいに言い捨て、玄関を出た。電柱の横におじさんが二人立っている。父よりずっと年上の、しょぼくれたおじさんだ。目が合ったが、無視して自転車にまたがった。

夜風が顔を撫《な》でる。生温かくて、じっとり湿った空気だった。

腰を浮かせて自転車を漕いだ。心の中に勇気のようなものがあった。アキラおじさんが昼間、呆気《あっけ》なくカツを退治した姿を見たせいかもしれない。

事情はよくわからないが、今度は、自分が役に立つ番だ。

アキラおじさんに連れて行かれた先は、以前、ヌイグルミをバザーだと偽って売った阿佐ヶ谷のマンションだった。あのときは、部屋に何人かいたのを憶《おぼ》えている。相手をしてくれたのは若い女の人だ。

前回来たときは気づかなかったが、マンションの前には小さな公園があった。地面がコンクリートで固められた人工的な公園だ。

「何もしてないと変だから、キャッチボールをしよう」

アキラおじさんがリュックからボールを取り出す。それは黄色い硬式テニスボールだった。

「野球のボールとグローブは音がうるさいから」

そんな言い訳をして、胸元に投げてきた。二郎も投げ返す。多少不自然な感じもあったが、手持ち無沙汰《ぶさた》であるよりはましなのだろう。

アキラおじさんはときどきボールを受け損なった。耳にイヤホンをして、何かを聞いているからだ。そのコードの先は、ジャンパーのポケットの中に引き込まれてあった。スイッチをいじるのを一瞬見た。トランシーバーのような機械だった。

おぼろげながら、状況は理解できた。アキラおじさんは革命を目指す活動家で、そのための何かをしようとしている。それは物騒なことで、警察にマークもされている。でもいい――。二郎は開き直った。小学生の自分に責任などない。大人が子供の世界で無力なように、子供は大人の世界に立ち入れないのだ。

無言で投げ合った。街灯の下、蛍光色のボールが鮮やかに光っていた。

しばらくキャッチボールをしていたら、マンションの前でタクシーが停まった。白髪混じりの男の人が降り立ち、鞄《かばん》を大事そうに抱えて建物に入っていった。アキラおじさんが横目で凝視した。表情が硬くなった。その場でうつむいた。二郎はボールを投げられなくなった。黙って様子をうかがった。

「よし。間違いない」アキラおじさんがそんなひとりごとを言い、拳《こぶし》を握り締める。すぐさま二郎の方を見て、「出番だよ」と低く声を発した。

リュックから紙切れを取り出す。「二郎君。これ、この前のアフガニスタンの子供たちを救おうっていうバザーの報告書」

アキラおじさんから手渡された。いかにも小学生が描いたようなイラスト入りのプリントだ。自分で作ったのかと思うと、滑稽《こっけい》な気がした。

「憶えてるよね、三〇一号室。中杉第二小学校六年一組の生徒です。この前はヌイグルミを買ってくれてありがとうございました。アフガニスタンへお金を送った報告書ができたので届けに来ました――。こんな感じ。要するに、ドアを開けさせてくれればいいんだ」

「うん、わかった」

「玄関のインターホンだと、郵便受けに入れておいてくれって言われる可能性があるから、この前みたいに、住人の出入りに紛れ込んで、オートロックを突破しよう」

「うん」二郎は神妙な面持ちでうなずいた。

「今回はぼくも行くから、入ったところで待ってて」

アキラおじさんに背中を押された。生唾《なまつば》を呑《の》み込み、歩を進める。玄関ホールで待っていると、ほどなくして住人が出てきたので、ドアが開いた隙に入り込んだ。そしてその住人がいなくなったところでアキラおじさんが現れ、二郎が内側から開けた自動ドアの玄関をくぐった。

「階段にしよう。帰りは階段を駆け降りてもらうことになるから」

えっと思って見上げる。アキラおじさんは目を合わせなかった。二人で階段を上がる。

「二郎君にひとつ謝らなきゃ」

「何を？」

「回転寿司《ずし》を奢《おご》るの、しばらくあとになりそう」

「……うん。いいよ」

どうやらアキラおじさんは我が家からいなくなるようだ。桃子が泣くかな。ぼんやりと思う。いや、小学四年生だ。それくらいでは泣かないだろう。

「それから、ぼくが『同志、退散』って言ったら、二郎君、ぼくには構わないで逃げてね。それで真っすぐ家に帰ること」

よくわからないが「うん」と返事した。

「ごめんね。本当は巻き込みたくないんだけど、玄関に監視カメラがあって、宅配便に変装したぐらいでは開けてもらえないんだ。どうしても二郎君の力がいるんだよ」

「うん、わかった。いいよ」答えながら、だんだん気持ちが昂《たか》ぶってきた。

三〇一号室の前に来たところで、アキラおじさんがリュックからゴーグルを取り出した。

二郎はぎょっとする。軍隊が使うようなものだった。右手には缶コーヒーほどの大きさの何かが握られている。

なぜか現実感が希薄だった。夢の中の出来事のように思えた。

「じゃあ、インターホンを押して」

アキラおじさんがドア横の壁に張り付く。開けると陰になる方だ。見上げると、玄関の上に小さなカメラが据え付けてあった。二郎がボタンを押す。

しばらくして、「はい」という警戒気味の声が聞こえた。女の人の声だ。

「すいません。中杉第二小学校六年一組の生徒です……」

アキラおじさんに教わった台詞《せりふ》を言う。「ああ、ボランティアでヌイグルミを売ってた子ね」憶えていたようで、急にやさしい声になった。

ドアロックとチェーンの外れる音がする。視界の端でアキラおじさんがゴーグルをかけるのが見えた。レンズは真っ黒だった。いきなり心臓が高鳴った。一歩うしろに下がった。

ドアが開くなり、アキラおじさんがその縁に手をかけた。力いっぱい引く。一瞬にして女の顔色が変わった。

「同志、退散！」

アキラおじさんが大声をあげる。中に突入した。同時に、パンという甲高い破裂音がし、ドアの枠から光線が放たれた。二郎の目がくらんだ。

「岡田がいるだろう！　革共同岡田一派、いざ殲滅《せんめつ》！　覚悟しろ！」

これまで聞いたことのない、アキラおじさんの怒声だった。歌舞伎役者のような、美しい響きだった。部屋の中が騒然となるのが、気配でわかった。

二郎は踵《きびす》をかえし、その場を駆け出した。視界が半透明になった。目の奥が痛くなった。廊下の端で振り返る。アキラおじさんの姿はなかった。部屋に入り込んだのだ。死という言葉が浮かんだ。生まれて初めて、身近に感じた。

階段を三段飛ばしで駆け降りた。心臓が口から飛び出しそうだ。踊り場で大きな影が降りかかった。二郎の体に衝撃が走る。誰かにぶつかったのだ。

「おっとォ。坊主。逃がすわけにはいかんぞ」

腕をつかまれた。顔を見る。角刈りの屈強な大男だった。頭の中が真っ白になった。

「おいっ、三〇一だ。ホトケが出ないように大至急身柄を確保しろ。佐藤、応援は呼んだか。山下、本庁にも一報を入れておけ」

男は一人ではなかった。ほかにも三人ほどが階段を駆け上がっていく。「主任、閃光弾《せんこうだん》です！」別の男の声がした。

「了解。救急車を呼べ」二郎を制した男が指示を出した。「それから、三階の住人には廊下に出ないようにアナウンスしろ」

もがいたがビクともしなかった。「警察だ。怖がるな」男が言う。警察？　刑事なのか？　どうしてここに――。「いい子だから、おとなしくしてろ」威圧的ではなかった。先生のような、温かい声だった。男は二郎を抱きかかえながら階段を昇った。上の階で、光線が再び放たれる。

「うわっ。なんだ、これは。アメリカ製か。機動隊でもこんなに強烈なやつは使わんぞ」

男が目を押さえ、頭を振った。「まったく、この時代の遺物どもが。二十一世紀にもなって革命ごっこなんかしやがって。付き合わされる警察はいい迷惑だ」

「主任。目が痛くて入れません」誰かの声が聞こえた。

「じゃあ、いい。玄関だけふさいでろ。おい、誰かこの坊主を押さえててくれ」

別の若い男が二郎の首根っこをつかんだ。主任と呼ばれる男が背広を脱ぎ、頭から被《かぶ》った。廊下を進み、三〇一号室の玄関から中に向かって叫んだ。

「おいっ、仲村。もう焚《た》くな。逃げられやせんぞ。それから、殺すな。命のやりとりをするようなことじゃないぞ。なんなら岡田をぶち込んでやる。逮捕する手札ならいくらでもあるんだ」

マンションの住人が廊下に顔を出し始めた。その都度、若い刑事たちが廊下に出ないようにと注意して回っている。外ではパトカーのサイレンが近づいてきた。二郎は無抵抗で立ち尽くしていた。逃げる気はなかった。だいいち目が痛くて、涙が止まらなかったのだ。

「わかってるんだ。活動資金をハネに来たんだろう？　別に張ってたわけじゃない。こっちは岡田の行動確認《コウカク》だ」

刑事に向かって、アキラおじさんが何やら言い返した。内容まではわからない。ただ興奮した様子はなかった。開き直っている感じだ。「革命の火は潰《つい》えないぞーっ」そんなふうに聞こえた。

制服の警官が数人現れた。ジュラルミンの盾を持っている人もいる。赤色灯が辺り一帯を照らしていた。外廊下の手すりから下を見たら、通りにはパトカーや救急車が何台も停まっていた。野次馬も多数いる。光線は外にまで及んでいる様子で、目を押さえている人がたくさんいた。

「おいっ、佐藤。坊主を連れて先に行け。万が一のことでもあったらかなわん」

刑事に腕を引っ張られた。「君、どこの子だ？」歩きながら聞かれた。手で目をこすっていると、「まあいいか、あとでゆっくり聞くさ」とつぶやき、ハンカチを手渡された。

そのまま外に出てパトカーの後部座席に乗せられた。もちろん乗るのは初めてだ。インパネの特殊な計器類を見ながら、淳や向井に話したら詳細をせがまれるだろうなと、やけに場違いなことを思った。

野次馬をかき分けながら、ゆっくりと発進する。好奇心丸出しで車内をのぞかれた。

二郎の胸の中に、漠然とした寂寥感《せきりょうかん》があった。アキラおじさんとは、たぶんこれでお別れだ。

26

パトカーは杉並署に入り、二郎はそこで降ろされた。「君、中学生？」同乗した眼鏡の刑事に訊《たず》ねられ、「小六」と答えたら「おいおい」と目を丸くされた。

「少年係の人、誰か残ってますか。いたら一人、第二取調室に回してください。被疑者が小学生なんですよ」職員室に似た部屋で、仲間に声をかけている。「十四歳未満だと何時まで取調べができるんですか？」

「さあ、二十一時とかじゃなかったっけ」と誰かの返事。

「補導扱いにしろ。児童の夜間徘徊《はいかい》。補導による身元確認」もう一人がよく透る声で言った。

「ところで、阿佐ヶ谷の方はどうなったんですか？」

「容疑者確保。本庁へ連れて行くそうだ」

「本庁へ？　そりゃあないでしょう。こっちに応援を頼んでおきながら」

「いいじゃないか、こんな筋の悪いヤマ。警備局《ケイビ》にくれてやれよ」

大人たちがなにやら言い合っていた。

複雑に入り組んだ廊下を歩き、取調室に通された。テレビで見た刑事ドラマのそれよりずっと清潔で殺風景だった。電気スタンドだけが机の上に、忘れ物のように置かれていた。

「じゃあ、そこに座って」眼鏡の刑事に指示される。よく見ると、アキラおじさんと同じくらいの歳のヤサ男だった。「まずは名前から聞こうか」正面に腰かけ、何かの書類を広げている。答えて当然という態度に、なぜか反抗したくなった。

二郎は口を固く結び、横を向いた。

刑事が顔を上げる。「どうしたの？」ペンで机をコンコンと叩《たた》いた。

無言を通す。頬がかすかに痙攣《けいれん》した。

「うそだろう？」刑事が目を大きく見開き、素《す》っ頓狂《とんきょう》な声をあげた。「小学生が完全黙秘《カンモク》するってかァ？　もしかして思想教育とか受けてるわけ？　頼むから手間を取らせないでくれよ」

二郎は目を合わせなかった。大人相手でも怖くなかった。簡単に口を割るのは、アキラおじさんに対して申し訳ないような気がした。それに今は、誰にも尻尾《しっぽ》を振りたくない気分なのだ。

「あのね、親が心配してるでしょう。だから名前と住所だけでも言いなさい」語気が強くなった。

二郎は腕組みをして無視した。刑事が深くため息をつき、頬杖《ほおづえ》をついた。

そこへ別の刑事がやってきた。役所の窓口風のおじさんだ。黙秘をしていると聞かされ、眉《まゆ》をひそめている。「おなかすいてない？　ジュースでも飲む？」猫撫《ねこな》で声を出して、腰を下ろした。

そう言われて空腹を覚えた。回転寿司《ずし》にありつけると思って夕食をセーブしていたのだ。おなかがグウと鳴る。

「じゃあカツ丼でもとってあげるから」役人風が苦笑いした。「黙ってると、家に帰れないよ。おとうさんやおかあさんにも会えないよ」

二郎は腹部に力を込めた。意地でも黙っていたくなった。

「君は大人に頼まれてやっただけだよね。誰に頼まれたの？　あのおじさんとはどういう知り合いなの？」

アキラおじさんは身分を明かしていないようだ。ますます答えるわけにはいかない。

「強情だなあ、君。どっちにしろ、明日になれば学校があるし、親御さんも騒ぎ出すし……」

表情を一切変えず、ただ横を向いていた。

「可愛くねえなあ、このガキ」眼鏡の刑事が気色ばんだ。

「まあまあ、子供相手に怒りなさんな。こういうのは根気よ。少年係は根気比べだ」

そのとき部屋のドアが開き、制服姿の警官が顔を出した。

「子供を本庁に移し変えろというお達しです」

「なんだって？」眼鏡が声を荒らげる。「時間を考えろ。もう午後十時だぞ」

「さあ、わたしに言われても」

「だいいちどこに泊めるんだ。暗箱《アンバコ》か？　しゃれにならないぞ」

「今夜はこっちで面倒を見るって言いな」役所の窓口風が口をはさんだ。「宿直室か裏の単身寮にでも泊めるさ」

「おい、何をしてる。早く移動しろ」また別の男が現れた。最初に二郎を捕まえた角刈りだ。上司らしく、貫禄《かんろく》があった。

「勘弁してくださいよ。そうそう警備の言うことばかり聞いてられませんよ」と眼鏡。

「いいや、刑事一課の担当だ。傷害致死事件になった。岡田はホトケだ」

「えっ」一声発し、眼鏡と役所の窓口風が絶句した。二郎は、一瞬にして背筋が凍りついた。

「警棒でこめかみを一撃だ。意識不明だったが、搬送先の病院で約十分前に死亡。おれは殺人罪《コロシ》だと思うね。ありゃあ確信犯だよ」

アキラおじさんが、人を殺した？　そんな馬鹿な——。

「コロシになった途端、刑事と警備で引っ張り合いだ。こりゃあ警備もカチンとくるだろうよ」

大人たちの会話が耳を素通りする。何も考えられなかった。

アキラおじさんのやさしい顔が浮かんだ。太い眉。ゆるやかな巻き毛。きれいに並んだ白い歯。

喉《のど》の奥底から恐怖心が込み上げてきた。叫びたい衝動に駆られる。

神様、うそだと言ってください。心の中で祈っていた。指先が震えた。それが全身に及ぶのに、さして時間はかからなかった。

夢をたくさん見た。いろんな人が出てきた。淳や向井、サッサや南先生。もちろん家族も。

夢の中で、二郎は立派な共犯者だった。ゴーグルをかけて、アキラおじさんと一緒に突入したのだ。

アキラおじさんは、初老の男に一直線に向かうと、「いざ殲滅《せんめつ》！」と声を張りあげ、拳銃《けんじゅう》を発射した。二郎は閃光弾《せんこうだん》を持っていて、部屋にいる敵たちに投げつけた。気がつくと、みんな床に倒れていた。外へ出て、二人で逃げる。分かれ道に来たところで、アキラおじさんが「二郎君は左、ぼくは右に行くから」と言った。

「いやだよ。一緒に逃げようよ」

「だめ。左へ行くと家だから、真っすぐ帰りなさい」

「じゃあアキラおじさんも帰ろう」

「用事があるんだよ。だからここでわかれよう」

そう言って振り向いたアキラおじさんの顔と服には、血がいっぱい付いていた。二郎はあわててハンカチを取り出し、血を拭《ふ》き取ろうとした。このままでは、擦れちがう人の誰もが怪しく思う。

ところが拭けば拭くほど血が濃く滲《にじ》み出てきた。二郎は泣きたくなった。「いいから、いいから」アキラおじさんが笑って言う。「よくないよ」二郎は懸命に手を動かした。

そうこうしているうちに人が集まってきた。学校の仲間がいた。先生たちがいた。遠巻きにひそひそ話をしている。二郎は焦った。なんとしても隠さなくては。

そこへ父が現れた。「おい、ちゃんと殺したか」アキラおじさんに向かって言う。二郎は顔面蒼白《そうはく》になった。父の指示だったのか？「アキラ君、ご苦労さん」母も現れ、ねぎらいの言葉をかけた。どうなっているのか。頭がぐるぐると回る——。

「おい、坊主」体を揺すられた。「いい加減に起きろ」

ゆっくりと目を開く。ゆうべの角刈りの刑事が二郎の顔をのぞき込んでいた。部屋の中を見回し、ここが杉並署の宿直室であることを思い出す。

夢の後味が悪かった。全身がだるい。喉元には、龍角散を水なしで飲まされたような苦味があった。

昨夜は、本庁というところへ移動させられるはずが、結局取りやめになった。マスコミが嗅《か》ぎつけたので外に出したくなかったらしい。一階の宿直室に布団を敷いてもらい、刑事にはさまれて寝たのだ。

「上原二郎君よ、もうすぐおとうさんが迎えに来るからな」

ぎょっとして刑事を見た。どうして名前を？　頑張ってひとことも口を利かなかったのに。

「深夜になって仲村アキラが口を割ったぞ。仲村は、どうやら君が無事に逃げおおせたものと思い込んでたらしいな。最初は完全黙秘だったけど、杉並署に少年が保護されていると聞いたら、あっさり事情を話したよ。……だめだぜ。寿司ぐらいで居候に騙《だま》されちゃ」

頭を乱暴に撫でられた。またアキラおじさんの顔が浮かぶ。胸が締めつけられた。

「だからもう帰っていい。君の責任はゼロだ。何も気にしなくていい」

責任はゼロ——という部分を刑事は強調した。死人が出たショックを小学生に与えまいと、気を遣っているように感じた。ヌイグルミの中に盗聴器が仕掛けられていたことも教えられた。なんとなく想像はしていたけれど。

「一応、児童相談所に通達は出すけど、君はもう無関係だ。いいか、忘れろよ。ちゃんと勉強して、正しい大人になるんだ」

角刈りの刑事は、やさしい目をしていた。

婦人警官がやって来て、牛乳とサンドウイッチを差し入れてくれた。黙って食べる。ふとテーブルに目をやると、今朝の新聞が広げたまま置いてあった。

《阿佐ヶ谷で革共同の内ゲバ　対立する分派の指導者を殺害》

そんな大きな見出しが目に飛び込んできた。胃のあたりが重くなった。

《閃光弾で住宅街が一時騒然》

《時代にとり残された「革命家」たち》

動悸《どうき》が激しくなり、これ以上食べるのをやめた。何かを考えようとしたが、頭がうまく働かない。

そのとき父の声がした。「上原二郎の父親だ。息子を迎えに来た」

いつにも増して大きな声なので、廊下の奥の宿直室にまで届いた。

「二郎君、おとうさんが来たぞ」刑事が立つように促す。「どうれ、伝説の闘士とやらを拝ませてもらうとするかな」つぶやくように言い、サンダルを履いた。

あまり会いたくなかった。当分一人でいたい気分だったのだ。

27

父は警察署で終始仏頂面だった。刑事が集まっている部屋のテーブルで、不機嫌そうに出された書類に必要項目を書き込んでいく。角刈りの刑事が「あんたが元革共同の上原さん？」と聞くと、父は無言で睨《にら》みつけ、しばし不穏な空気が流れた。

「子供を巻き込みなさんな」別の年配の刑事がぼそっと言った。「どうせ口を割らんだろうから、最初から無駄は省くが、本庁では犯人幇助《ほうじょ》で引っ張れっていう意見も出てるんだぞ」

父はそれにも答えず、強い筆圧でペンを走らせる。最後は乱暴にサインをし、音をたてて椅子から立ち上がった。

「上原さん、印鑑ある？　ないと拇印《ぼいん》ってことになるけど……まさか、いまさら押捺《おうなつ》拒否だのなんだの言わないよね」と年配の刑事。

父が眉間《みけん》に皺《しわ》を寄せる。「朱肉！」鋭く声を発すると、女の職員が用意したそれに人差し指をつけ、ゆっくりと書類に捺印した。

角刈りの刑事は「もう忘れろ」と言ったが、背広姿の偉そうな人が出てきて、「あらためて話を聞くからね」と肩を叩《たた》かれた。自分は検事だと言っていた。

人が死んだというのに、警察署に緊張感はまるでなかった。犯人が捕まっているせいか、一件落着といったムードだった。

二人で杉並署を出る。門のところで二郎の自転車を返却された。すぐ前の通りではランドセルを背負った小学生たちが急いでいる。今日は欠席だな。二郎は心の中でつぶやいた。このことは学校に伝わっているのだろうか。父がわざわざ言うとは思えないが、警察から連絡が行った可能性はある。ゆうべは少年課の刑事も出てきた。お咎《とが》めなし、というわけにはいかないのだろう。

「ねえ、おとうさん」二郎が不安な気持ちで聞いた。「アキラおじさん、死刑になるの?」

「ならない。求刑十年、判決七年、三年半で仮釈放」

父は自転車のうしろにまたがると簡潔に答えた。そして吐き捨てるように、「なってたまるか」と言葉を連ねた。「あんなにいいやつが、死刑になるわけがないだろう。死ななきゃならんやつはほかにいる」

少しだけ安心した。桃子にも同じことを教えよう。もっとも、アキラおじさんが人を死なせたという事実で、大きなショックを受けてしまうのだろうが。

「よし、帰るぞ」父に肩を叩かれ、二郎は漕《こ》ぎ出した。

「今日、学校休んでいい?」

「学校に行けなんて、おれは一度も言ったことがないぞ」

「そうだけど……」

百メートル漕いだだけで、たちまち全身に汗が噴き出てきた。空はどんよりと曇り、いまにも雨粒が落ちてきそうだ。そういえばとっくに梅雨に入っていたことを思い出す。湿気を肌で感じた。早く本当の夏になってプールに入りたいものだ。その頃、平穏な学校生活を送れているのか、妙に心もとないのだけれど。

十五分自転車を漕いで中野に戻ると、自宅前の狭い路地が通行止めになっていた。黒と黄色の標示板の手前で、近所のおばさんたちが、かたまってひそひそ話をしている。その奥にパトカーが見えた。白いワゴン車や、サイレンを屋根に載せただけの乗用車も。

おばさんたちが、二郎と父を見つけるなり、表情をこわばらせた。さっと目をそらせる。通行止めの路地の反対側にはマスコミがいた。カメラを構えた男が数人いる。父を見つけるなりシャッター音が鳴り響いた。

「ふん。暇な連中め」父が低く言った。警察と、近所のおばさんたちと、マスコミと、たぶんそのすべてに言ったのだろう。

玄関で母が表情を曇らせていた。悲しみと怒りと諦《あきら》めの全部が混ざったような顔だった。三和土《たたき》にはたくさんの革靴が並んでいて、足の踏み場もない。刑事たちが部屋に上がり込み、白い手袋をした姿で簞笥《たんす》や押入れを勝手に開けていた。その光景に二郎はショックを受けた。テレビドラマで知っていた。家宅捜索というやつだ。

「おいっ。令状を見せろ！」父が声を張りあげる。ガラス戸が震えるような大声だった。

刑事たちが一斉に振り向く。「さっき奥さんに見せたよ」そのうちの一人がぞんざいに答えた。

「おれがこの家の主《あるじ》だ。おれに見せろ」

禿頭《はげあたま》の刑事が、面倒くさそうに紙切れを広げる。「ほれ、これでいいか」掲げてひらひら振った。

「読み上げろ。それから全員警察手帳を呈示しろ」

「おい、上原よ。面倒をかけるな。おまえらの時代など、とっくに終わってるんだぞ」

「やかましい。さっさと呈示しろ！」

あまりの怒声に若い刑事が思わず身を縮める。父は苛立《いらだ》っているように見えた。

「二郎、学校へ行きなさい」母が肩に手を置いて言った。

「リュック、二階だけど」

「じゃあ、早く取ってらっしゃい」

父がまだ怒鳴っている。その声を背中に浴びながら、二郎は駆け足で階段を上がった。

二階に行くと、開け放たれた自室で姉がベッドに腰を下ろしていた。なんだか数ヵ月ぶりに会った気がした。目が合う。無視された。桃子は学校へ行ったようだ。

「ちょっと。どうして私の部屋の箪笥を開けるわけ？ これって越権行為でしょう」

ここにも数人の刑事がいて、姉が抗議している。つくづく嫌気がさしたという口調だった。

子供部屋に入って教科書をリュックに詰めようとすると、刑事に呼び止められた。「ぼく、悪いけどリュックの中、見せてくれる？」

不承不承、開いて見せる。刑事は「形だけだから」とひとりごとのように言い、中をのぞき込んだ。

ゆうべアキラおじさんがまとめた荷物は、段ボール箱に入れられていた。あれがアキラおじさんの全財産なのだろうか。そう思ったら、急に切なくなった。おやじは死んだ、と昨日言っていた。家族はどうなっているのか。恋人や親友はいないのだろうか。

Tシャツが汗で湿っていたので着替えた。ついでに靴下も履き替えた。リュックを抱えて階段を降りる。すると、いつの間に現れたのか別のおじさんたちが玄関にいて、興奮した面持ちで警察に食ってかかっていた。

「こら、税金泥棒のイヌども。警察手帳を見せろ。公僕の義務を果たせ」

「髪の毛一本たりとも押収などさせないぞ」

二郎には見覚えのある顔だった。いつか我が家へ来て、なにやら父と相談していたおじさんたちだ。その後、アキラおじさんが居候にやってきたのだ。

あらためて見ると、全員、父よりずっと年上の男たちだった。いかにも時代遅れの服装で、容貌《ようぼう》も含めた全体がさえない。先生なら女子生徒が小馬鹿にするタイプだ。

刑事たちは相手にならなかった。うるさそうに顔をしかめ、黙々と作業をしている。その代わりにマスコミが駆け寄ってきた。男たちを取り囲む。ただ、質問はしなかった。何か起きるのを待っている、そんな感じだ。

「おい、上原同志。貴様の家だろう。司直《しちょく》の自由にさせてよいのか」リーダー風の、ヤギのような顎鬚《あごひげ》を生やした一人が言った。

父と母は、玄関の外にいた。母はあきらかに非難めいた目で男たちを見ている。そういえば、以前も迷惑そうな態度だった。

「上原同志。貴様らしくないな。司直など蹴散《けち》らしてしまえ」

「そうだ。何かあってもすぐに弁護士をつけてやるぞ」

「……同志と呼ぶな」そのとき、父が唸《うな》るように言った。「おれはもう、あんたらの仲間じゃない」

男たちが父を見た。うしろのマスコミも、何事かと首を伸ばす。みんなが黙った。

「あんたら、アキラに何を命じた」

男たちが表情をこわばらせる。「おい、口の利き方に気をつけろ」顎鬚が鼻の穴を広げて言った。二郎は玄関で立ち尽くしていた。

「話がちがうな。活動資金を奪還するだけじゃなかったのか」父がゆっくりと男たちに近寄った。「岡田副議長をやるなんて、おれは聞いていないぞ」

「それは仲村の判断でしたことだろう」顎鬚が胸を反らせる。口の端がひきつっていた。

「いいや、あいつは心やさしい男だ。あんたらが命令したんだ」

「おい、上原。この場で言うことか。総括させるぞ」と別の男。

「総括をするのはあんたらだ。意味のない運動にしがみつきやがって」顎鬚の胸倉を左手でつかんだ。「どうしていちばん若いアキラにそういう命令ができる。やるなら自分でやるべきだろう」

マスコミが色めき立ち、至近距離で取り巻いた。母が二郎に視線を向け、「中に入ってなさい」と命令した。二郎はその場から動けない。足がすくんだのだ。

「おい、やめろ。仲間割れしているときか」

「だから、仲間じゃないと言っているだろう」

父は右手で腰のベルトをつかむと、プロレスの大技のように、顎鬚を頭上に持ち上げた。野次馬からどよめきが起こる。気づいた刑事が「上原、待て！」と大声をあげた。

父は小さく助走をつけると、勢いよく顎鬚を放り投げた。鈍い音がした。受身を取る間もなく、地面に叩きつけられたのだ。

「総括だ、総括！　聴聞会を招集して貴様を総括してやる！」

わめいている男を父が捕まえた。

「おい、みんな、外へ来い！　捜索はあとだ。上原を止めろ！」

刑事が突進してきた。父の腰にしがみつく。父は肘《ひじ》で振り払うと、二人目を持ち上げ、今度はマスコミの群れに向けて投げつけた。マイクを持った女性アナウンサーが逃げ惑う。あたりは騒然となった。

「革命は運動では起きない。個人が心の中で起こすものだ」

父が声を張りあげる。ますます人だかりができた。

「集団は所詮《しょせん》、集団だ。ブルジョアジーもプロレタリアートも、集団になれば同じだ。権力を欲しがり、それを守ろうとする」

「上原、落ち着け!」刑事が言った。

「個人単位で考えられる人間だけが、本当の幸福と自由を手にできるんだ」

父が三人目を持ち上げる。いつもの倍の大きさに見えた。母は止めるのを諦《あきら》め、輪の外で立ち尽くしている。

「これ以上騒ぐと逮捕するぞ!」

「もう人民による革命は起きない。マルクス主義は敗北した」

三人目は電柱に打ちつけられた。

「暴行傷害ならびに公務執行妨害。現行犯逮捕!」

刑事の声が、狭い路地に響き渡った。

二郎は玄関脇でこの様子を眺めていた。目の前で起きていることなのに妙な距離感があった。父と母を、一個の人間として見ていた。他人として好きになれるだろうか、そんなことを思った。

肩に手が乗った。振り向くと姉だった。

「二郎、四谷の子になったら? 桃子は考えてるみたいだよ」

「……お姉ちゃんは?」

「わたしは大人だからいいの。ボーナスが出たら、一人で暮らす」

姉に頰をつねられた。家の前では依然として乱闘が続いている。刑事が数人がかりで父を押さえつけ、腕に手錠をかけるのが見えた。

「連行！　それから誰か救急車を呼べ！」

刑事が父を連れていこうとした。しかし、父はその場に座り込んで立ち上がらない。

「おれは自分の意思でしか動かない。連行したければ担いでいけ」

「この野郎。おまえらはいつもそうだ」刑事が顔を赤くした。「おい、担ぐぞ。誰か足を持て」

五人がかりで父を持ち上げた。

「担いで連行するなんて、成田の応援に駆り出されたとき以来ですよ」刑事の一人が言う。

「つべこべ言うな」

父は、パトカーではなくワゴン車の荷台に段ボール箱と一緒に詰め込まれた。体が大きいので、そちらの方が手っ取り早いと判断したのだろう。

しばらくすると救急車が現れ、父に投げ飛ばされた男たちが乗せられた。醜態をさらしたせいか、それぞれ険しい表情をしていた。

数人の刑事を残し、一団は去っていった。

「ほれ、学校」姉に後頭部をつつかれた。ため息を漏らす。学校に行きたくなかった。どんな顔をして授業を受ければいいのか。

ふと母を見ると、悲しそうな目で父の乗ったワゴン車を見送っていた。

いや、これは悲しみとはちがう。仕方がない——そう言っている目だ。二郎は母の人生を思った。老舗《しにせ》呉服店の娘だった母は、いましあわせなのだろうか。

28

遅刻して学校へ行くと、クラスメートたちはゆうべの事件を知らないらしく、いつもどおり二郎を迎え入れた。ただし南先生はいなかった。一時間目から自習だったのだ。

向井に「どうした」と聞かれ、「ちょっとな」と曖昧《あいまい》に答えた。

「おい二郎。淳のやつな、とうとう夢精したようだぞ」向井が目を細めて言う。すぐさま淳が駆けてきて、「でかい声で言うな」と赤い顔で向井にヘッドロックをかけた。

「そうか。よかったな」二郎は目を伏せ、リュックの教科書を机に移し替えた。

「なんだよ、元気ないな。じゃあグッドニュースを聞かせてやる。カツの馬鹿、昨日、暴走族に襲われて腕の骨を折られたんだってよ」淳がうれしそうに、二郎の腕を小突いた。

「近所の中学生に聞いた。これで当分おとなしくしてるんじゃないのか」

「暴走族じゃないね。見栄《みえ》でそう言ってるんだよ」二郎は首を左右に一度ずつ曲げると、

「折ったのはアキラおじさんさ」と吐息混じりに言った。

「アキラおじさん？」淳と向井が目を丸くした。「どういうことよ」二人で身を乗り出し

てくる。

一瞬だけ迷ったが話すことにした。周囲に聞こえないよう、声をひそめて。自分が仕返しを頼んだこと、その代わりにアキラおじさんと敵対するグループのアジトを襲う手伝いをしたこと。聞いてもらいたい気持ちもあった。

「おい、もしかして、今朝のニュースでやってた阿佐谷の内ゲバ騒ぎのことか」と向井。

「ああ、そうだよ。新聞にもでかでかと出てたけど」

「あれはアキラおじさんとおまえがやったのか」と淳。

「おれは、うそを言ってドアを開けてもらっただけだけど」

二人はたちまち色めき立った。カツに復讐《ふくしゅう》しただけでも凄《すご》い出来事なのに、目の前の級友はそれ以上の経験をしたのだ。刑事に捕まり、杉並署に一晩泊められたことを話すと、大人を見るような目で二郎を眺めた。

「……なあ二郎。確かNHKのニュースでは、誰か死んだって言ってたような気がするんだけど」

向井が真顔になった。「そうなのか」淳は知らないようだ。

「うん。アキラおじさん、敵グループのリーダーを警棒で殴って死なせたみたい」

二郎は淡々と言った。一夜明けても実感が湧かないせいかもしれない。

「死なせたって――」向井と淳が絶句した。「それって人殺しだろう」

人殺しという言い方が気に障ったので、二郎は「当たりどころが悪かったんだよ。だって一発当てただけだもん」と弁護した。

「おまえ、見てたのか」

「いや。刑事さんから聞いたことだけど」

いつの間にかリンゾウが隣に来ていた。淳は誰かに伝えたくて仕方がないらしく、リンゾウに一から説明を始めた。「おい、あちこちで言いふらすなよ」二郎が釘《くぎ》を刺す。もっとも、たちどころに知れ渡るにちがいない。

数回会っただけでも、知っている人が殺人を犯したという事実に、向井と淳はショックを受けた様子だった。

「アキラおじさん、刑務所に入るのか」と向井。

「三年半で出るだろうって、おとうさんは言ってた」

「日本って、人を殺して三年半で出られる国なのか」

「知らないよ、おれに聞いたって」

一時間目が終わっても、淳や向井は詳しい話をせがんだ。サッサやハッセが寄ってきたが、追い払って、男子だけでひそひそ話をした。今朝、家宅捜索が入ったことも話した。

そして二時間目も自習になった。スーツ姿の南先生が教室に現れ、そう告げたのだ。

何かあったのかと、クラス全体が騒がしくなった。南先生が「上原君、ちょっと職員室へ」と手招きした。硬い表情だった。

もちろん二郎には想像がついた。ゆうべのことが、学校に連絡されたのだ。

教室を出て、南先生のあとをついていく。話しかけられることはなかった。職員室と言ったが、そうではなく、隣接する来賓室に入れられた。応接セットには教頭先生ともう一人知らない中年の男が座っていた。長椅子に着席を促される。

「わかっていると思うけど、朝から警察の方が学校へ来て、上原君のしたことについて説明を受けました」教頭先生が話した。口を利くのは初めてだ。南先生はスツールにちょんと腰掛け、憂鬱《ゆううつ》そうな顔をしている。「君は、おとうさんの知り合いに頼まれて、言うことを聞いただけのことかもしれませんが、重大な事件にかかわることになって、学校はとても残念に思います」

二郎は黙って聞いていた。窓の外に目をやると、小雨がぱらつき始めていた。

「学校としては、とくに処罰は考えていませんが、上原君の家庭環境に問題があるので、今後どうしたらいいかを三者でじっくりと話したいと思います」

「おとうさんは、今どこ？」別の男の人が聞く。

「ああ、こちらは区の教育委員会から来た斎藤先生」教頭先生がそう紹介した。

「警察ですけど」二郎がぼそりと答えた。

「ゆうべの事件のことで、事情聴取か何か？」

「……そうです」

逮捕されたとは言わなかった。すぐにばれることかもしれないが。

「おとうさんは、上原君のこと、叩《たた》いたりする？」と斎藤先生。

慌てでかぶりを振った。プロレスの真似事はしても暴力はふるわない。

「じゃあ、おかあさんを殴ったりはしない？」

「しません」二郎がむっとして答える。誤解されていると思った。

「仕事はしてないんだよね」

「してます」

「どんな？」

「作家です」

「作家？」

斎藤先生が意外そうな顔をすると、横から南先生が耳打ちした。今度本が出るとか、そういう話です——。かすかに聞こえた。怪しげな話、という口調だった。

「たとえば、上原君が希望するのなら、しばらく家とは別のところで暮らすこともできるんだけど、どうかな」

意味がわからないので、返事をしなかった。

「家庭裁判所の命令があると、親子でも別々に暮らすことができるわけ。もしも上原君が希望するのなら、妹の桃子さんと二人で寮のようなところに入ることもできるんだよ」

さすがに腹が立った。無言で首を振る。先生たちは、保護者である父がいちばんの問題だと考えているようだった。

三十分以上、家のことを聞かれた。家は持ち家か、とか、自家用車はあるのか、とか、経済状態まで探られた。「借家ですけど」答えながら、なんだか惨めな思いがした。

取調べのようなものが終わると、二郎と南先生が解放された。教頭先生が、「君では手に負えないだろう」と南先生に言い、南先生が「はい」と答えたのだ。どこにでもいそうな、若い女の態度だった。

「じゃあ、行っていい」と顎《あご》でしゃくられた。一旦《いったん》廊下に出る。南先生は深くため息をつくと、そのまま職員室へと入っていった。二郎には「教室に戻ってなさい」と言っただけだった。

二郎はもっと言葉が欲しかった。南先生と、ちゃんと話がしたかった。そして励まされたかった。頑張って、と体を触ってほしかった。

廊下を歩きながら孤独を覚えた。南先生は、どうやら味方ではなくなったらしい。自分は、やっかいな受け持ちの生徒なのだ。

三時間目から通常の授業は始まったが、南先生に明るさはなかった。それどころか、憂鬱そうな顔を隠そうとしなかった。生徒も異状を察し、おとなしくしていた。

ゆうべの一件はクラス中に知れたようだった。女子が目を合わせないので直感した。

桃子は大丈夫だろうかと不安になった。今度ばかりはしゃれにならない。

外の雨は本降りに変わっていた。

放課後、家に帰ると誰もいなかった。ほんの半月ほどなのに、アキラおじさんがいる状態に慣れてしまっていたので、心にぽっかり穴が開いたような気がした。

　家宅捜索の跡はなかった。母が片付けたようだ。二階に上がると、アキラおじさんの荷物は消えていて、姉の部屋から桃子の持ち物が戻されていた。

　机の引き出しを開ける。そこには、ゆうべアキラおじさんがくれた腕時計があった。プラモデルの工具セットを取り出し、金属ベルトの長さを調整した。ネジを巻く。腕にはめる。耳にあて、秒針の音を聞いた。ストップウォッチの機能を試してみる。文字盤の中にある三つの針が一斉に動いた。聞くのを忘れたが、きっと防水時計だろう。

　再び机にしまう。いまのところ、プレステを抜き、自分のもっとも高価な持ち物だ。

　リュックを置いて家を出た。一人でいるのがなんとなく心細かったのだ。雨の中、アガルタへ行く。すると母がいつもどおり店を開いていて、カウンターでは桃子が宿題を広げていた。客は誰もいない。

「おかあさん、おとうさんは？」

「まだ警察」母がコーヒーカップを拭《ふ》きながら答えた。

「迎えに行かなくていいの？　引受人とか、いるんでしょ」

「だって迎えに来いって電話がないんだもん。すぐには帰れないんじゃないの。逮捕だし、怪我をさせたみたいだし」口の端を持ち上げ、吐息をつく。続けて、「送検にはならないと思うんだけどなあ」とひとりごとのように言った。

そのときドアのベルが鳴り、客が入ってきた。母が「いらっしゃい」と顔を上げ、相手を見てすぐに「こんにちは」と会釈した。

「コーヒーは、いいから」

小さな老人が、目の前で手を横に振っている。近所の金物屋のおじいさんで、今の家の大家だった。すぼめた傘を杖《つえ》のようについていた。

「上原さんに住んでもらってる家、今度建て替えようと思ってね。悪いんだけど、今度の更新はしないから」老人は立ったままで言った。うつむき加減で、母の目を見ようとしなかった。「確か今年の九月だったよね、更新の時期。契約では半年前に通知するってことになってるらしいけど、いいよね、そういう細かいことは。まだ三ヵ月以上あるんだから、転居先も余裕で探せるだろうし」

母が顔色を曇らせる。二郎もことの意味を察し、暗い気持ちになった。

「前から建て替えは考えてたんだけど、急に銀行が融資してくれることになって、それで……」

二郎には、うそだと直感でわかった。ゆうべと今朝の事件があったせいで、もううちには貸したくないのだ。

「わたしも先は長くないから、息子のことも考えてさ。その、相続税なんかも、借金を作っておけば軽くなるって言うし。結構大変なんだよね、家主の立場も」

老人は顔を赤くし、早口でまくしたてた。この場を早く立ち去りたくてしょうがない様子だった。たぶん、意を決して言いに来たのだろう。

「それに、いくらなんでも老朽化していて。耐火材なんかも使ってない古い家だし、火事になんかなったりしたら、ひとたまりもないから」

老人がわざとらしく笑う。頬がひきつっていた。

「……わかりました」母が静かに言った。「建て替えなら、敷金はそのまま返していただけるわけですよね」

「ああ、うん。もちろんさ」老人の顔に安堵《あんど》の色が広がる。「長い間ありがとう。今年で十年だもんね。下のお子さんは確か中野で生まれたんだよね」

桃子が、自分のことかと老人を見る。出生の秘密でも知ったかのような顔だった。

「それじゃあ、通知はしたから」

老人は踵《きびす》をかえすと、逃げるようにして出ていった。ドアのベルがカランカランと乾いた音を立てている。窓が湿気で曇っているので、老人の姿はすぐに見えなくなった。

「クッキー、食べようか。紅茶いれて。ホットでいいよね。冷房、効いてるし」母が明るく言った。カップを三つ用意する。

「わたしが生まれる前は、どこに住んでたの？」桃子が聞いた。

「高円寺《こうえんじ》。中央線の沿線を行ったり来たりよ」

「そうなんだ」と二郎。

「だって二郎はまだ赤ちゃんだもん。憶《おぼ》えてないよ」

桃子が戸棚からクッキーを取り出し、皿に盛った。二郎はレモンスライスの用意をした。客が来る気配はない。この店は儲《もう》かっているのだろうか。二郎の頭に、ふとそんな疑問が浮かんだ。これまで考えたこともなかった。三人で紅茶をする。

「うち、引っ越すんだ」桃子がぽつりと言った。

「うん、そうね」と母。

「転校するの？」

「ううん、近くに借りる。お店もあるし。今度は一軒家というわけにはいかないかもしれないけど、おねえちゃんが一人暮らしをするっていうから、部屋は少なくてもいいし」

「うち、お金ある？」

「あるわよ。桃子も二郎も、心配しなくていい」母が白い歯を見せる。無理に微笑んでいるようにも見えた。

我が家はピンチだな。二郎は自分に何もできないのが歯痒《はがゆ》かった。父は、ちゃんと家族を守る気があるのだろうか。

雨脚がいっそう強くなった。曇った窓には、通行人の傘の色だけがぼんやりと映っていた。

29

父が帰ってきたのは、翌日の夕方だった。警察には一晩泊まったことになる。母が言っていた「送検」というものは免れたようだ。

父が帰宅するなり、家の電話が忙しく鳴り始めた。二郎が出たので、相手がマスコミだとわかった。

「中央新聞だけど、おとうさんはいる?」そう聞かれ、代わると、父は不機嫌そうに応対した。

「だから何度も言ってるだろう。おれは革共同とはとっくに無関係だ」

太い声で言っている。新聞記者とは昔馴染《なじ》みといった感じだった。

「それより貴様のところの記事はなんだ。『敵なき時代の革命ごっこ』だと。成田のときとはずいぶん態度がちがうんだな。所詮《しょせん》はブル新の風見《かざみ》鶏《どり》か」

父が一方的にまくしたてた。

マスコミはアキラおじさんについて知りたがっていた。父はすべての電話に「知らん」と答えていた。「仲村アキラを中傷したら、ただでは済まさんぞ」と凄《すご》んだりもした。

出版社からの電話もあった。「文学舎です」と言われ、そういえば父が小説を出す出版社だと二郎は思い出した。

「ああ、そうか。……わかった」このときは、電話に出た父の表情が曇った。「じゃあ、明日にでも来てくれ。その新任の部長とやらと一緒に」

あまりいい話ではなさそうだった。

もっとも悪い知らせにはもう慣れた。一番目はアキラおじさんが人を死なせたことだ。これ以上、気を重くするニュースがどこにあるだろう。二番目はこの家を出なければならないことだ。今度は一軒家はむずかしいと母が言っていた。我が家の経済的窮状も、なんとなく想像がついた。

「おい、二郎」父に呼ばれた。「どこへ行きたい」居間で胡坐《あぐら》をかいている。

「なによ、いきなり」意味がわからず、口ごもった。

「行きたい所があるなら言ってみろ」

「わかんないよ、そんなこと急に言われても」

「じゃあ、今考えろ」

「……舟浮、かな」小さい声でぼそりと言った。

父が顔を上げる。「どうしてそんな名前を知っている」

「アキラおじさんから聞いた。そこに泊めてある船をぼくにくれるって」

「ふうん」父がなにやら考え事をしていた。ごろりと横になった。「西表島か。悪くないな」ひとりごとのように言う。

「ねえ、おとうさん。うち、お金ある？」二郎が聞いた。一度ぐらい聞いてみたかったのだ。

ぎろりと睨《にら》まれた。「金なんて、少しも重要じゃないんだぞ」

「そうかなあ。お金がないと、御飯も食べられないし、服も買えないし」

「そんなもの、人類史の中のごく最近のことだ。大半は自給自足でやってきたんだ」

「でも、今は原始時代じゃないじゃん。みんな、お金で物を買って暮らしてるし」

「二郎、プロレスでもやるか」

「いやだ」二郎は立ち上がり、部屋の隅に避難した。「おとうさん、働いたことある？フリーライターとかじゃなくて、ネクタイをして会社に行くとか、お店でお客さんに頭を下げるとか、そういうの、したことある？」

「ふん、くだらん。そんなもの、資本家に搾取させるだけだ。真の労働とは、人民のための田畑を耕すことだ」

「キューバのサトウキビ畑のこと？」

「……ほう。いろいろ知ってるな」父が寝返った。「おかあさんに聞いたのか」

「ううん。アキラおじさん。キューバのカストロ議長とツーショットの写真があるって」

父が這《は》って手を伸ばしてきたので、二郎は廊下に逃げた。

「おかあさんに、あんまりお金の心配をさせない方がいいと思う。引っ越しって、お金がかかるみたいだし」

それだけ言い、階段を駆け上がる。少しどきどきした。父を正面から非難したのは初めてだった。

学校へ行くのが憂鬱《ゆううつ》になった。南先生が冷たいからだ。まともに目を合わせようとしなかった。警察や教育委員会との連絡役にされたことで、機嫌が悪かった。

「どうして学校が警察の窓口になるんですか」二郎のいる前で、教頭先生に向かって不服そうに言っていた。

「それは、ほら、保護者も参考人だから……」

奥歯にものがはさまったような言い方をする。父を敬遠しているのは明らかだった。

授業中に生徒相談室に呼ばれ、そのあと児童相談所へ連れていかれ、警視庁の刑事と話をした。保護者の同伴は、二郎から断った。母に迷惑をかけたくなかったからだ。事件のことを追及されるのかと思ったら、大半が呑気《のんき》な世間話だった。

「おじさんが小学生の頃は、ドッジボールぐらいしか遊びがなかったんだけどな」父と同年代のおじさんが遠い目をして言う。「バスケットはポートボールって言って、ゴールの代わりに人が立ってるわけ」

何の話かわからない。事情聴取も形だけという感じだった。

「アキラおじさんに恋人とかはいなかったわけ？」

「知りません」

「いないか。誰も接見に来ないっていうし」

刑事は書類に作文のようなものを書いていた。二郎自身のことで、供述書というらしい。

「アキラおじさんを、すっかり家族の一員のように感じていたぼくは、頼みごとを断れず……」

刑事が読み上げる。「ちがってるところ、ある？」と聞かれ、首を横に振ると、最後に署名をさせられた。

児童相談所では、黒木に会った。

黒木は、学習室という個室でドリルをやらされていた。前を通ったとき、廊下の窓が開いていたので目が合った。

ガンを飛ばしてきた。二郎も睨み返す。すると黒木は苦笑し、「ばーか」と口の形だけで二郎は「まぬけ」と言い返した。

昼になり、食堂で給食弁当を食べていると、黒木が現れた。少し離れたテーブルに腰掛けた。

「上原もいよいよ相談所送りか」と黒木。手馴れた様子で御飯に胡麻塩《ごましお》を振りかけている。

「おまえと一緒にするな。こっちはただの取調べだ」

黒木は黙って食べ始めた。食堂にはほかの生徒たちもいた。見たところ、不良か、いじめられっ子だ。一緒にしていいのかと余計な心配をした。

御飯のおかわりをよそうために立ち上がった黒木がそばに来た。「大人に頼んでカツの腕を折ったってのはほんとか」声を低くして聞いてきた。

「なんで知ってる」

「世間は狭いんだよ」

「じゃあ、次はおまえだぞ」

「ふざけるな。その大人はパクられたくせに」

黒木はトレイを持って二郎の前に移動してきた。

「あっちへ行けよ」二郎が邪険にする。許す気などなかった。

「カツは蛇みたいなやつだぞ」

「知ってるよ」

「絶対に自分からは引かない男だぞ」

「知ってるって言ってるだろう」

「でもよォ、腕を折った大人がその晩、人を殺したことを知ってさすがにビビッたってよ」

黒木を見ると、にやついていた。「そうなのか」二郎が聞いた。

「ああ。上原の周りには過激派の大人がいっぱいいるらしいって、そういう噂が流れてんだよ」

特別な感想はなかった。カツなど、来るなら来いという気分だった。

「向井に聞いたぞ。おまえの親父も元過激派だってな」

「うるせえ。なれなれしくするんじゃねえ」

睨みつけると、黒木は鼻でふんと笑った。髪を気障《きざ》に指で梳《す》く。この不良少年は日増しに大人びていく感じがした。

その日は学校に戻らなかった。南先生から児童相談所に「戻らなくていい」と連絡があったのだ。冷たいよな。ため息が出た。教師が、やけに人間臭く思えた。人間が親切なのは、自分が安全なときだけだ。

家に帰ると、自宅前の狭い路地に黒塗りのマイクロバスが停まっていた。道幅いっぱいで、脇を自転車がすり抜けるのがやっとだ。車のボディには、白い文字で「奪還北方四島」と書いてある。

軍歌を流しながら街を走る右翼の街宣車だ。どういう立場の人たちなのか知識はないが、ごめんなさいで済まない人たちだということはわかる。

「なんや、坊主」車のそばに立っていた若い男が声をかけてきた。「じろじろ見とったら、見物料、取るで」

「ここ、ぼくのうちだから……」仏頂面で答えた。

「ああ、そうか。上原さんとこの息子さんか。今な、おとうさん、ちょっと取り込み中でな。外で遊んどったほうがええで」

まだ二十歳ぐらいの男が関西弁で言う。緊迫した空気はなく、扇子で顔をあおいでいた。玄関脇には背広姿の二人組もいた。私服の刑事だとすぐにわかった。この手の組み合わせにはすっかり慣れた。

母のところへ行こうか。桃子もいることだろう。でも少しだけ事情を知りたかった。

「リュックを置いてきます」右翼と刑事にそう告げる。二郎は家の玄関をくぐり、二階へ上がった。そして部屋には入らず、踊り場で聞き耳を立てた。

「なあ、上原さんよ。二十一世紀にパルチザンでもないだろう。こんなの発表しても、世間は相手になってくれないぜ。マスコミだって無視だろうよ」

知らない男の声だ。低音でやけに貫禄《かんろく》があった。

「じゃあ、そっちも無視してくれ」父の声もした。

「そうはいかん。立場ってものがある。こういう本が世間に出るだけで、右翼陣営にしてみれば、我々はナメられてるのかっていう話になる。メンツの問題だ」

「知らん、おまえらのメンツなど」

「時代を考えろ。無益な戦いだろう。誰も得などしない。それにおれらだって、もうあんたと事を構えたくはないんだよ。あんた、右翼なんか屁《へ》とも思ってないからな」

父は右翼とも顔見知りなのか。いまさら驚くようなことでもないが。

「文学舎以外に持っていっても、おれらはひとつひとつ潰《つぶ》していくぜ。自費出版でも、印刷所を探し当てて、圧力をかける。あんた一人で対抗できない。諦《あきら》めてくれ」

父は黙っていた。小さな声で「申し訳ありません」と誰かが謝っている。たぶん出版社の人だ。なんとなく想像がついた。父の小説は、出版されないのだ。

「ところで、実を言うと、おれは文芸のことはよくわからなくてな。あの小説、面白いのか？」とドスの利いた声。

誰も返事をしなかった。重苦しい空気が二階にまで伝わってきた。

男たちが引き上げていく。二郎は父と二人きりになりたくないので、どさくさ紛れに外に出た。

母の店に行くのはやめて、中野ブロードウェイへと向かった。気持ちが暗いせいで、いつもの遊び場もつまらない場所に思えた。さっさと大人になりたいものだ。自分でお金を稼いで、どこへでも行ける大人に。子供は行く場所も限られている。夜になれば、帰らなくてはならない。

ポケットをまさぐると小銭があったので、ゲームセンターに入った。不良中学生がいたが無視した。向こうも二郎と目を合わせようとしなかった。黒木の言っていた噂に感謝した。

ピコピコという電子音が、左右の鼓膜を震わせていた。

その晩、父と母が議論をしていた。声を荒らげることはなかったが、意見は対立しているようだった。なんとなく寝つけなくて、二郎は布団の中で耳を澄ませていた。延々一時間以上、続いていた。途中からは母が諭しだした。「我慢しなさいよ」という言葉が聞こえたのだ。しかし最後は母が折れたようだ。「まあいいか。一家族ぐらい」乾いた口調で、そんなことを言っていた。

桃子はしきりに寝返りをうっていた。もしかしたら、起きていたのかもしれない。姉は深夜になって帰ってきた。携帯電話で誰かに「おやすみなさい」と、女の声で話していた。

30

翌朝、母に話があると言われた。朝御飯をかき込んでいると、「食べながらでいいから、話を聞いて」と母がテーブルに腰を下ろしたのだ。桃子は隣で納豆をかいていて、父と姉はまだ起きてきていなかった。

「我が家は、沖縄の西表島に引っ越すことにしました」

桃子が箸《はし》を持つ手を止める。二郎は口に御飯をほおばったまま、噛《か》むのをやめた。

「あなたたちにとって、いい人生経験になると思います。大学に行って会社員になるとしたら、多少の不利益は被るかもしれませんが、そんな誰もが歩む人生に、たいした価値があるとは思えないので、東京での生活を終わりにします」

すぐには感想が浮かんでこない。とりあえず口の中の物を飲み込むことにした。

「もちろん、あなたたちは永遠に親のものではないので、自立できると判断した時点で、独り立ちしてもかまいません。ただ十五歳までは、おとうさんおかあさんと一緒に暮らしましょう。だから、今現在の友だちとは、一旦《いったん》お別れです」

その言葉を聞き、淳や向井の顔が浮かんだ。リンゾウも、サッサもハッセも。

「いつ引っ越すの？」二郎が聞いた。

「お店の家具や食器を売りさばき次第、出発します。たぶん、二、三日のうちに。こういうのはだらだらやるものじゃないし」

西表島はアキラおじさんの故郷だ。そして二郎が譲り受けた船がある。

「おとうさんが、決めたの？」

「おとうさんと、おかあさんで決めました」

母が毅然《きぜん》と言う。「ほら食べて」そう促され、御飯をおかわりした。

「西表島って、人口何人？」と二郎。

「さあ、大きな島だし、千人ぐらいはいるんじゃない」

返事に詰まる。今通っている小学校の児童数が千人だ。

「転校先は、なんて名前の小学校？」

母がテーブルに頰杖《ほおづえ》をつく。「二郎と桃子は、学校、必要？」軽い調子で聞いた。

二郎は、言葉の意味を量りかねた。父が言うならまだしも、母は普通の大人だと思っていた。

「……必要だけど」二郎が答える。

「桃子は？」

桃子は黙ったままだ。納豆を御飯に載せ、元気なく口に運んでいる。

「あなたたちが学校で教えられてることって、本当はたいして重要なことじゃないの。勉強はもちろん、集団生活のルールなんかでも。だって、通学路しか通っちゃいけないなんて、あきらかに意味のない決め事でしょ。国は国民を、大人は子供を、それぞれ管理したいだけなんだから」

母が、父が言うようなことを口にした。結局、似た者同士だから夫婦になったのだろう。

「学校には今日のうちに連絡しておきます。だから二郎と桃子は、友だちにお別れを言っておくように」

母がテーブルを立ち、流しに戻る。「おねえちゃんは？」その背中に向かって二郎が聞いた。

「洋子は大人なので、自分の意思に任せます」

おねえちゃんが行くわけないよな。口の中でつぶやく。母に気づかれないよう、そっとため息をついた。

引っ越しか。しかも南の島へ――。

いよいよ来たか、という感もあった。心のどこかに、父がいる限り我が家は平穏無事では済まない、という諦《あきら》めがあったのだ。

桃子は御飯を一杯しか食べなかった。目玉焼きをもらおうと思ったら、それは拒否された。

通学途中、淳に引っ越しのことを告げた。

「ふうん」という素っ気ない第一声だった。「いいなあ、沖縄か」

「よくねえよ。観光旅行じゃないんだから。西表島ってところに住むんだぞ」

「トイレは汲《く》み取りか」なぜかそんなことを聞く。

「いや、知らないけど」答えつつ、二郎も気になった。そもそも、どんな家に住むのか知らされていないのだ。

しばらく淳の質問が続く。「冬でも泳げるのか」「椰子《やし》の実はなっているのか」ほとんど答えられなかった。逆に二郎が聞きたいくらいだ。

学校に着く頃になって、淳は「そんなに遠くだと、遊びには行けないな」と淋《さび》しそうに言った。事態をやっと把握した様子だった。

始業前の教室では、向井とリンゾウにも伝えた。

「西表島か。日本で唯一、亜熱帯ジャングルのある島だな」向井はさすがに物知りだけあって、いくつかの知識を披露した。「イリオモテヤマネコがいて、マングローブが生い茂っていて、要するに野生の島だってことよ」

「飛行機で行くのか」とリンゾウ。二郎が肩をすくめる。向井は机から地図帳を取り出し、開いた。

「沖縄の本島からは遠いんだな。石垣島の先だ」

二郎も地図に見入った。日本列島からこぼれた雫《しずく》のような、沖縄の島々だ。

「空港のマークがないな。石垣島まで行って、そこから船だろう」

そうか。飛行場もない島なのか。拡大図に舟浮という地名を見つけた。アキラおじさんがくれた船があるところだ。

「夏休みになったら、みんなで遊びに行こうぜ。飛行機、一度乗ってみたいし」

向井が言う。向井なら、みんなを引率してハワイにでも行けそうな気がした。

その日は、休み時間になるたびに、淳や向井が話しかけてきた。時間が経つにつれて、別れの実感が湧いてきた様子だった。

「住所、教えろよ」もっともなことを言う。「知らないんだよ」間抜けな返答をする。

淳が二郎の椅子に割り込み、体をくっつけてきた。腕を肩に回す。

「引っ越す前に、うちにすき焼き食べに来いよ」

「ああ、いいよ」

考えてみれば、淳とは幼稚園のときからの付き合いだった。一緒に遊んだ回数は二千回を超えるだろう。別れの日が来るなんて、想像したこともなかった。

「欲しいもん、あるか」と向井。

「なんだよ、急に」

「プレゼントだ。象牙《ぞうげ》の印鑑はどうだ。一生ものだぞ」そう言って白い歯を見せる。

みんな、やけにやさしかった。不意に切なくなった。この仲間たちと、もう遊べなくなるのだ。

午後からの授業は免除され、児童相談所で再び刑事の事情聴取を受けた。アキラおじさんが再び黙秘に入ったので、二郎の証言が必要らしい。どこまで話していいのかわからなかったが、人が死んでしまった以上、隠すようなことはないと思い、聞かれたことにはすべて答えた。

「アキラおじさんはいい人です」その点は何度も強調した。「やさしくて、子供好きで、サーターアンダギーを作るのがうまくて、妹なんか家庭教師代わりに……」

「わかった、わかった」

苦笑した刑事にいさめられる。アキラおじさんの刑を少しでも軽くしたかった。

「裁判はいつあるんですか？」

「ずっと先だよ。証拠をそろえて、検察が起訴して、国選弁護人が決まって、それからさ」

「そうですか」

「この先、検察の人が話を聞きに行くかもしれないけど、協力してよね」

「……でも、もうすぐうちは引っ越しだし」

「そうなの？」刑事が首をひょいと突き出した。「家族でってこと？」

「はい」

「どこへ」

「沖縄です」

　刑事の顔色が変わった。「普天間？　コザ？」

「……西表島ですけど」

「西表島？」

　刑事がむずかしい顔をする。アキラおじさんの一件はそっちのけで、根掘り葉掘り引っ越し先を聞かれた。どこかに電話連絡も入れていた。父はよほど警察の関心を引いているらしい。


　学校には戻らず、そのまま家に帰ると、今日は大きなトラックが路地をふさいでいた。作業服を着たおじさんたちがダイニングテーブルや冷蔵庫を運び出している。二郎は驚いた。もう引っ越し？　うそだろう？

　慌てて家に入る。父が台所で、電卓を手にした男と向かい合っていた。

「お客さん、大半はリサイクルにもならない品ですよ。本当は引き取り賃をもらいたいくらいなんですから」

「かけ引きするな。おまえらの手口などわかってる。さっさと数字を出せ」

　父に凄まれ、男が電卓を打つ。父が数字をのぞき込み、仏頂面でうなずく。交渉が成立したようだ。

「おとうさん」二郎が声を発する。「もう引っ越すの？」

「おう、わが息子よ。友だちにお別れはしたか」

「そんな、急に。もうすぐ引っ越すって、伝えてあるだけさ」

「じゃあ、向こうから手紙でも書くんだな」

「そんな馬鹿な……」二郎は絶句した。

「善は急げだ。こういうのは勢いでやるもんだ。いいぞォ、南の島は」父が明るく言い、目を細めている。「家財道具はすべて処分するからな。船便だと時間も費用もかかる。どうしても必要なものは沖縄で買った方が早い」

あわてて二階へ上がった。勉強机も箪笥《たんす》もなかった。引き出しの中身が、段ボール箱にあけられている。アキラおじさんからもらった腕時計を探した。すぐに見つかり、腕にはめた。続けて押入れを開ける。空だった。布団もないのだ。今夜はどうするつもりだ？

隣の姉の部屋に行く。ここだけはそのままだった。これで姉が行かないことが決定した。おねえちゃんとは、離れ離れだ。

一階へ降りていく。「おかあさんは？　桃子は？」

「店だ。そっちも片付けてる最中だ」

電話をかけようとしたら、いつもの場所に電話機がなかった。

「おとうさん、電話は？」

「処分した。さすがNTTは迅速だな、わはは」

二郎は言葉がなかった。いくらなんでも急過ぎる。そこへ母が現れた。「ねえ、あなた。

椅子とかテーブルとか食器とか、全部処分しても五十万にしかならないのよ」口をとがらせているが、どこか晴れ晴れとしていた。

「おかあさん、アガルタはもうないの？」

「そうよ。コーヒーを飲みにきたお客さんがびっくりしてた」

「いいの？　こんなに簡単に決めて」

「二郎って、案外心配性だね。誰に似たんだろう」

そう言って屈託なく笑う。今日の母は、世の中とか、人生とか、そういったものに対して開き直っている感じがした。

「桃子は？」

「さあ知らない。友だちと遊んでるんじゃないの」

二郎は畳だけになった居間に寝転がった。天井には蛍光灯もなかった。

いいか——。自分に言い聞かせた。父と母は、決めてしまったのだ。

「晩御飯、ほか弁にするからね」母は鼻歌を唄《うた》っていた。いいことでもあったように。

「冷蔵庫がないから、腐るものはもう買うな」父が箒《ほうき》を手にして言う。

「おとうさん。どうせ取り壊すんだから、掃除なんかしなくていいのよ」

「ああそうか。じゃあ畳も売っちまうか」

二人で笑っている。なんだか仲がよさそうだ。

そのとき来客があった。「ごめんください」玄関で男の声がする。靴音からして複数だ。

父が見に行った。「おい、上原。沖縄へ移住するなんて聞いてないぞ」男が慌てた様子で言っていた。

「やかましい。どうして公安なんぞに報告しなければならん。裁判所の命令でもあるのか。事情聴取はすべて任意だろう」

父の言葉で公安警察だと察した。昼間、二郎が漏らしたことが、もう伝わったのだ。

「そう言うな。仲村アキラを立件するまでは東京にいてくれ」

「断る。警察に協力などしない」

「沖縄へは何の用だ。わかっているとは思うが、本島に足を踏み入れたら、こっちも二十四時間マークするからな」

「八重山《やえやま》だ。西表だ。安心しろ」

「普天間事件はまだ民事なら時効前だからな。ファントム一機、いくらしたと思ってる」

「古い話を。おまけに証拠などないくせに」

「基地問題からは手を引いたんじゃないのか」

「だから行くのは西表だって言ってるだろう。米軍基地なんかもう知るか。それにおれの先祖は沖縄だ。どうして故郷に帰るのに……」父の声のトーンが上がる。

「革共同なんか怖くない。何も起こせん。内ゲバ事件がせいぜいだ。こっちは上原一郎が怖いんだ」

「いつまでも買いかぶるな。とっくにリタイアの身だ」

言い合いはいつまでも続きそうだった。騒々しいので、二郎は大人たちの脇をすり抜けて外に出た。父はいくらでも武勇伝がありそうだ。小説などいいから、いつか自伝を書いてくれないだろうか。そうしたら真っ先に読む。

午後五時を告げる学校のチャイムが、西の空に響いていた。カラスが鳴いている。この町ともお別れか。南の島では、どんな鳥が鳴くのだろう。

路地の向こうから桃子の遊び友だちが歩いてきた。近所の同級生だ。「ねえ、桃子、知らない?」二郎が聞くと、「三時ごろ駅で見かけた。四谷へ用事だって」という答えが返ってきた。

桃子は、一人で四谷のお祖母《ばあ》ちゃんの家に行ったのだ。

いやな予感がした。沖縄の話をして、お祖父《じい》ちゃんとお祖母ちゃんが黙っているとは思えない。

31

四谷三丁目の駅から延びる新宿通りの広い歩道は、家路を急ぐ人やネオン街に繰り出そうとする人たちで賑《にぎ》わっていた。二郎はTシャツの下にびっしょりと汗をかき、夕日を背中に浴びて走っていた。

桃子を迎えに行くというより、自分もお祖母ちゃんに会いたかった。するすると事が進むのが怖かった。転がりだしたトロッコを、一旦《いったん》停止させたかった。

堀内ビルのインターホンを押すとお手伝いさんが出て、すぐさま替わったお祖母ちゃんに「上がってらっしゃい」と重々しい声で言われた。桃子に移住を聞かされたのか、二郎が来るのを待っていたかのような口ぶりだった。

部屋に通されると、居間のソファで、桃子がクッションを抱いて横になっていた。二郎を一瞥《いちべつ》すると、ふてくされた態度でクッションに顔を埋めた。隣には従妹《いとこ》の加奈ちゃんが座っている。姉妹のように身を寄せ合っていた。

「どうして電話がつながらないの？」お祖母ちゃんが聞いた。「二郎君の家、さっきから何度もかけているのに、おかあさんもおとうさんも誰も出ないの」

「電話、もうないから」二郎もソファに腰を下ろした。「解約の手続きをしたんだって」

「そうなの？」お祖母ちゃんが目を剝《む》いた。

「家具とか冷蔵庫とかも処分しちゃったし、もう家の中はがらがら」

「何を考えてるの、二郎君のおとうさん。沖縄だの西表島だのって、住む先も決めないで……」

お祖母ちゃんが電話を手にする。「ちょっと中野まで行って、さくらを……」誰かに用を言いつけている。相手は母の弟、つまり叔父《おじ》さんらしかった。

「とにかく、さくらだけでも連れてきて。あの男はどうでもいいから。来なければ桃子ちゃんと二郎君は返さないって言いなさい」

電話を切ると、呆《あき》れ顔で大きくため息をつき、二郎の隣に来た。

「おとうさんについていっちゃだめよ。いくら先祖が沖縄だからって、働き口があるわけでもなし、お店を開くにしたって、資金なんかあるわけないんだから。それに学校はどうするのよ。お祖母ちゃん、西表島がどういうところか知らないけど、全校生徒が二十人とか、そういうところでしょう？　お祖母ちゃんは反対ですよ。あなたの将来のことを考えれば、移住なんていいわけがありません」

「十五歳になったら、一緒に暮らさなくてもいいって、おかあさんは言ってたけど」

「またさくらまで無責任なことを。いいわけないでしょう、十五歳で。中学を出たばかりの歳じゃないの。これからいよいよ高校大学って競争が始まるときに——」

お祖母ちゃんが腹立たしげに言い捨てる。お手伝いさんが、冷たい飲み物とお菓子を持ってきた。桃子が無言で手を伸ばし、クッキーをつまむ。二郎もそうした。

「桃子ちゃん、どう？　やっぱり学習院に転校しない？　うちのお祖父ちゃん、前は理事をやってたから、いつでも編入できるわよ」

お祖母ちゃんが言った。二郎が来る前から、勧められていたようだ。

「二郎君もそうしなさい。このうち、お部屋はたくさんあるし、物置を一階に移して簡単な改築をするだけで子供部屋の二つぐらい、すぐにできるわよ。しばらく、おとうさんやおかあさんと離れて暮らすのもいいかもしれない。もしも、おかあさんがどうしても沖縄に行くって言い出したら、二郎君たち、ここで暮らしなさいよ」

二郎は答えなかった。すぐに返事できるようなことではなかったし、そもそも人生を左右する決断を迫られるのは初めてだった。

「平気よ、学習院なんて。二郎君も桃子ちゃんも、堀内の血を引いた子だから、普通に勉強すればついていけるわよ」

二郎は学習院の制服を思い浮かべた。ボタンのない詰襟服を自分が着るとなると、面映《おもはゆ》くもある。ただし、現実味はなかった。父や母と離れ離れになることも、自分が私立に行くことも。

桃子が起き上がり、「おにいちゃん、どうする？」と真剣な目で聞いた。

「桃子は？」

「考え中」

本当に迷っている様子だった。

お祖母ちゃんはお店の仕事があるらしく、「帳簿を見ないといけないの。二人ともここにいてね」と言い残して下へ降りていった。

「ねえ、学習院って面白い？」二郎が加奈ちゃんに聞いた。

「面白いけど」口をすぼめて言い、桃子の髪を弄《もてあそ》んでいる。

「不良はいる？」

「いない」

「クリーニング屋のせがれは？」

「知らない」

加奈ちゃんが、桃子の頬や鼻をいじる。スキンシップというより、ヌイグルミで遊ぶ感じだった。

「転校生ってよく来るの」

「めったに来ない。来たとしても帰国子女」

そうだろうな。二郎は我に返った。お祖父ちゃんやお祖母ちゃんがいくら望んでも、有名私立に転校なんてそう簡単にできるとは思えない。とくに小六の一学期という中途半端な時期だ。来年、中学受験しろと言われるのが落ちだ。

「わたしなら南の島の学校に行ってみたいな」加奈ちゃんが言った。「だって田舎なら、ピアノの先生、いないだろうし」

「どういうこと？」桃子が聞く。

「飽きたの」桃子を抱きしめる。加奈ちゃんはピアノのレッスンが嫌いらしい。

そこへ隆志君と篤志君が帰ってきた。隆志君はスポーツバッグからテニスラケットをのぞかせていた。篤志君はヴァイオリンケースを抱えている。

「やあ、いらっしゃい」隆志君が大人びた口調で言った。篤志君は二郎を見るなり人懐っこい目でそばにやってきた。

「晩御飯、食べにきたの？」

「そういうわけじゃないけど」

「またバック転やってくれる？」

「うん、いいけど」

「今度ゲロ吐いたら、兄妹《きょうだい》の縁を切るからね」と桃子。二郎は妹の尻《しり》を蹴飛《けと》ばした。

「ねえ、おにいちゃん」加奈ちゃんが明るく言った。「桃子ちゃんと二郎君、もしかしたらこの家に住むかもしれないんだって」

「そうなの？」自分の部屋に行きかけた隆志君が足を止めた。

「桃子ちゃんのおとうさんとおかあさんが、沖縄のどこかの島に移住するから、うちで引き取るみたい。お祖母ちゃんが言ってた」

隆志君が二郎を一瞥した。「ふうん」口の端で笑ったように見えた。

「学校も変わるんだって」

「学習院に？」今度ははっきりと笑った。「お祖父ちゃん、いつまでも自分が在学してた戦前のつもりでいるんだもんなあ。今は試験をクリアしないと編入できないっていうのに」

そのまま居間を出ていった。篤志君があとについていく。歓迎されない感じだった。

「さてと、晩御飯の前にドリルの宿題しなきゃ」加奈ちゃんが立ち上がった。「ごめんね。晩御飯のあとはピアノのレッスンに行かなきゃならないから」

居間には二郎と桃子の二人が残された。見上げると、天井からは氷柱《つらら》のようなシャンデリアがぶら下がっていた。きっとこの家には、蛍光灯なんてものはないのだろう。

「桃子、どうするんだよ」二郎が言った。「おとうさんとおかあさん、明日にでも東京を発《た》つ勢いだぞ」

桃子は答えず、クッションに顔を埋めた。

「行ったら最後、東京には戻れないだろうな。少なくとも中学を出るまでは、島で生活するんだよ」別のクッションを桃子にぶつけた。「西表島って飛行場もないんだってさ。ほとんどがジャングルで、野生の島だって。たぶんトイレは汲み取りで――」

「汲み取りって？」

「知らないのか。水洗じゃないんだよ。穴が開いてるだけで、そこにウンチがたまるわけ」

「うえ」桃子が顔をしかめた。

「ゲーセンもないし、ブロードウェイもサンプラザもないし。ないない尽くしだよ」

「コロッケ売ってる肉屋さんもないだろうね」

「ああ、そうだな」答えるなり腹が鳴る。だんだん暗い気持ちになってきた。「桃子は、ここの家の子になっても平気か」

「考え中」

「そればっかだな」

「だって、決まらないんだもん」

「ここの家、勉強とか習い事とか、大変そうだぞ」

桃子が寝返りをうつ。憂鬱《ゆううつ》そうに吐息をついた。

「おれ、とりあえず学習院はパスする」

「どうして？」

「合いそうにないし」

「そうだね。お兄ちゃんには合わないね」

「桃子は合うのかよ」

「……合うかもしれない」

「女はお姫様ごっこが好きだからな。きれいな洋服とか、ピアノとか、ケーキとか——。要するにお高くとまりたいわけだ」

桃子が二郎を蹴る。力は入っていなかった。

「おまえは将来、どこそこのバッグが欲しいとか、ワインはどこのじゃないとだめだとか、そういうことを言う厭味《いやみ》な女になるわけだ」

「なりません！」節をつけて言う。

「なるさ。きっとなるさ」二郎は桃子の足を叩《たた》いた。

そのとき、お手伝いさんが顔をのぞかせた。「あのう、二郎さんに、おかあさまからお電話です」キッチンのドアが開いて、焼けたチーズのいい匂いが一緒に運ばれた。

子機を受け取り、耳に当てる。「何してるの、そんなところで」母の毅然《きぜん》とした声が飛び込んだ。

「さっき弟が来たけど、追い払ったからね。おかあさんは死んでも四谷の家には行きません。つまり、自分で帰ってこなければ置いていきます。飛行機は明日の午後十二時半だからね。十一時には家を出ます」

「そんな急に……」

「学校には今日、引っ越すと連絡しました。じたばたしても無駄です」

「先生、なんて言ってた？」

「べつに」

そんな馬鹿な――。母は完全に開き直った感じがした。

「おかあさん。桃子ね、この家の子になって学習院へ編入するんだって」二郎が言った。

「言ってません」桃子があわてて体を起こす。

「でも考え中だろ？」

「うるさい」

「そんなところで兄妹喧嘩《げんか》をしないの」母が電話口でいさめた。「とにかく、これで電話は切ります。四谷の子になりたければどうぞ」

呆気《あっけ》なく電話は切られた。

「ねえ、なんだって？」と桃子。

「桃子は帰ってこなくていいってさ」

「うそです」桃子が蹴飛ばす。今度は力が入っていた。

「おれ、帰る。飛行機、明日の昼過ぎだって言うし」

二郎が立ち上がる。桃子も一緒に腰を上げた。

「なによ。考え中じゃないのかよ」

「終了」

「どうするのさ」

「沖縄へ行く」口をとがらせて言った。

「お祖母《ばあ》ちゃんに言うとややこしくなるから、書き置きしよう」

桃子が加奈ちゃんの部屋に行き、紙とサインペンを借りてきた。ついでに加奈ちゃんもついてきた。二郎が書いた。

《おばあちゃんへ——。ぼくたちは沖なわへ行くことにしました。向こうから手紙を書くので心配しないでください。二郎》

「わたしも」桃子がペンを取り上げる。

《合えてよかったです。ゆかたはわたしの宝者にします。桃子》

「おまえ、字がちがうぞ。しかも二ヵ所も」

「うそォ」

新しい紙に書き直した。桃子は花やハートマークを周囲にちりばめた。

「いいなあ」加奈ちゃんが言った。「わたしも南の島に行きたいなあ」桃子を抱きしめ、髪を撫《な》でる。この子がペットを飼ったら一日中抱いているだろうな、と二郎はそんなことを思った。

気配を察したのか篤志君が現れた。「しばらくお別れだからね」そう言って居間でバック転を決めた。無邪気に拍手をしている。

つかの間の親戚《しんせき》付き合いだったが、二郎にはうれしかった。血のつながった人たちが、同じ空の下にいるのだ。

隆志君が顔をのぞかせた。「なによ、帰るの？　沖縄に行くことにしたの？」

「うん。南の島で暮らすのもいいかなって」

隆志君は無言で引き返すと、一分後、皿を両手に持って現れた。「一口ずつ、食べていけば？」分厚いハンバーグの上でチーズが溶けていた。フォークを受け取り、かぶりついた。三口で食べた。桃子も口いっぱいにほおばっている。

「御飯があるといいけど」と桃子。

「急いでるんだ。贅沢《ぜいたく》言うな」

「いいね、君たち」隆志君が苦笑し、言った。どういう意味なのかは、量りかねた。でも厭味な感じはなかった。

「じゃあね」二郎が手を挙げる。従兄弟《いとこ》三人が揃って手を挙げた。インディアンみたいだった。あらためて見ると、三人はそっくりだった。

　お祖母ちゃんに見つかると引き止められるので、そっとビルを出た。振り返って見上げる。ちょうど日が沈む時間で、ガラスが真っ赤に染まっていた。

桃子と二人で走って四谷三丁目駅に向かった。東京とも、今夜限りだ。東の空には星が輝いている。

32

家に帰ると、家財道具がきれいさっぱりなくなっていた。やけに広く感じる居間に、裸電球だけ灯《とも》っている。畳の上で父と母は弁当を広げていた。

「あら、おかえり。唐揚げ弁当があるの。まだ冷めてないから、あなたたちも食べなさい」母が言う。なんだかうれしそうだった。それに、若く見えた。

白い御飯が恋しかったので、すぐにふたを開けた。さっきハンバーグを詰め込んだばかりだが、余裕で平らげた。桃子も競うように食べている。お茶を飲んだら、喉《のど》が一気に通り、詰まっていたものがすべて洗い流された感じがした。

畳の上で足を伸ばす。座布団がない。おまけにカーテンもないので、お尻《しり》のあたりがスースーした。アキラおじさんからもらった腕時計を見た。午後八時になろうとしていた。

居間の隅にもうテレビはない。

「おかあさん、ぼくの自転車は？」

「二千円で売れました」

たったの二千円——？　金額に憤慨して、自転車が勝手に処分されたことには不満が行き渡らなかった。二郎は立ち上がり、玄関へと向かった。

「淳のところへ行ってくる」

「布団ないし、泊めてもらってきたら？」

それには返事をしなかった。母は何かが外れてしまったみたいだ。

家を出て、路地を歩く。湿気が肌にからんできた。猫があちこちで鳴いていた。今夜に限ってやけにうるさい。自分に話しかけているような気がした。

淳の家は、まだクリーニングの看板の電気が灯っていて、窓の向こうでは、おじさんがランニングシャツ姿でアイロンをかけていた。

「淳君、いますか？」扉を開けて聞くと、おじさんは相好をくずし、「二階にいるよ」と顎《あご》をしゃくった。

知った家なので勝手に上がる。淳は部屋のベッドで漫画を読んでいた。蒸し暑い夜なので、上半身裸だ。

「淳。実はな……」二郎が、明日東京を去ることを告げる。淳は青い顔で、体を起こした。

「そんな急に……」言葉が見つからない様子だ。

「おれン家《ち》、今なんにもないの。家財道具、一切売り払っちゃってさ。布団もないんだぜ」

「マジかよ」

「マジ、マジ」二郎が笑う。なんとなく、自慢したくもあった。常識から外れるのは、どこか快感があった。「明日の昼の飛行機に乗るんだけど、どうやら引っ越し先も決めてないみたいだし、どうなるんだろうな、我が一家は」

「おまえ、他人事《ひとごと》みたいに言うな」

「向井ン家に行かないか。最後にもう一回、顔を見たいし」

「いいけどさ……」淳がベッドから降りる。Tシャツに袖《そで》を通した。「おまえ、サッサにも挨拶《あいさつ》ぐらいしていけよ」

「サッサに？」

「ああ。今日、おまえが児童相談所に行ったあと、あれこれ聞いてきてな。いつ引っ越すんだとか、引っ越し先の住所は知ってるのかとか」

「ふうん」

「サッサ、おまえのこと、好きだぞ」

「そうかあ」言いながら顔が熱くなった。少しはうぬぼれていた。予期せぬことではない。

「ハッセが言ってた。五年生のときから好きだってよ」

サッサの顔が浮かぶ。パッチリした目。丸い頰。

「電話ぐらいしろよ。このままお別れだと、後悔するぞ」

後悔なんて言葉が淳の口から出てくるとは思わなかった。淳は意外に大人だ。

淳が電話の子機を持ってきたので、子供部屋からかけた。心臓がドキドキした。女子の家に電話をするのは生まれて初めてだ。

サッサは留守だった。学習塾に行っていると、おばさんがやさしい声で教えてくれた。

「ああ、じゃあ早稲田通り沿いの塾だ。リンゾウと同じところだ」淳が場所を知っていた。

「これから行こうぜ」

淳はやけに熱心だった。親友の役に立ちたいといった様子だ。

淳の自転車に二人乗りして夜道を走った。Tシャツの裾《すそ》から背中が出ていたので指でつねった。

「痛えよ」淳が笑っている。今夜は何をしても怒らなさそうだ。

五分ほどで塾の前に着いた。ちょうど授業が終わったところらしく、生徒たちが歩道にたまっていた。

「おい、こんな時間に何してんだよ」

リンゾウが二郎と淳を見つけて声をかけてきた。眼鏡をかけていたので驚いた。丸い、洒落《しゃれ》た眼鏡だ。「どうした。初めて見たぞ」二郎が指差して聞くと、リンゾウは「夜だけかけてんだ」と照れくさそうに言った。

「二郎、もう明日引っ越すんだってよ」と淳。

「うそだ」リンゾウが顔色を変えた。

「ほんとさ。二郎の家、もう家財道具もないんだぜ」

「そうか。それでわざわざ会いに来てくれたのか」しんみりと言う。

「おまえはついで。サッサに会いに来たの」

「ううん」二郎がかぶりを振る。「おまえにもさようならを言いにきたんだよ」やさしい気持ちで言った。事実、リンゾウに会えてうれしかったのだ。

立ち話をしていたら、サッサが塾から出てきた。学校では禁止されているリボンを髪に巻いていた。街灯の下でやけに大人っぽく見えた。

すぐに二郎の姿を見つけ、驚くと同時に頬を赤くした。

「ほら、行けよ」淳が背中を押す。「馬鹿。おまえはここにいろ」という淳の声。リンゾウがついてこようとしたらしい。

脈が速くなった。なんて言おう。心の準備はまるでできていない。

「よお」片手を挙げた。

「こんばんは」とサッサ。学校では聞いたことがない、女らしい口調だった。

「おれ、明日引っ越すから」

「うそォ」サッサが口に手を当てる。「お別れ会やろうねって、ハッセたちと話してたのに……」

「うちの親は、やることが極端なんだよ」

「そう……」

「もう学校へは行かないから、一応、挨拶だけでもしておこうと思って」

「そう……」

サッサは下を向いていた。急なことで対応に困っている様子だ。

「じゃあ、おれ、行くから」

「……うん、さようなら」サッサは前髪を整えながら、一瞬だけ二郎を見た。

淳たちのいる場所に戻る。

「おまえ、なんて言ったんだ」

「明日引っ越すからって」

「それだけか」

「そうだけど」

「もうちょっとなんかあるだろう」淳が眉間《みけん》に皺《しわ》を寄せて言った。

「じゃあ、何を話せばいいんだよ」

「文通しませんか、とか、言えばいいだろう」

「ああ、そうだな」

またサッサのところに行った。自転車の鍵《かぎ》を外していた。

「ねえサッサ、文通しない？」

「文通？」サッサが振り返り、頬を紅潮させて微笑んだ。「うん、いいよ」

「向こうへ行って、落ち着いたら、おれから手紙を書く」

なんだか映画のような台詞《せりふ》だ。すんなり言えた自分を褒めたくなった。

「ありがとう。上原君、元気でね」サッサが白い歯を見せる。

満足した。これで充分だと思った。小学生にこれ以上、できることはない。踵《きびす》をかえす。照れくさいので淳の顔は見なかった。

「じゃあ、次は向井ン家だな」

淳の自転車のうしろにまたがる。リンゾウとはここで別れることにした。

「おまえ、その眼鏡、似合うぞ」

「そうか？」鼻の頭をかく。満更でもない顔をしていた。

「じゃあな」

「おう」

淳が自転車を漕《こ》ぎ出す。しばらく行ってから振り返ると、リンゾウがまだ塾の前で立っていた。そのうしろではサッサがこっちを見ている。甘酸っぱい気持ちが込み上げてきた。サッサに向かって手を振る。背伸びして返してくれた。手前ではリンゾウも手を振っていた。

「もしかして、夜逃げか？」

向井はかなり無礼なことを真顔で言った。

「馬鹿。だったら黙って引っ越すだろう」

さすがに腹が立ったので語気強く答えた。ついでに足を伸ばして体を突《つっ》いた。向井の部屋で三人、車座になった。

「それにしたって、普通はクラスに挨拶ぐらいしていくものだろう。菓子折りのひとつでも置いて」

「うるさい。何が菓子折りだ」

「儀礼は大事だぞ」

　向井がジジくさいことを言う。「おまえ、ほんとは小学十二年生だろう」二郎が睨《にら》むと、向井は「うまいこと言うなあ、二郎は」と中年のおじさんのように笑った。

「でもまあ、今夜でお別れなんだから、二郎には餞別《せんべつ》をあげよう」

　向井が立ち上がる。机の引き出しからスイスアーミーナイフを取り出した。

「町内子ども会でキャンプをやったとき、支給されたんだよ。東京にいたって全然使わないしな」

　たいして高価そうではなかった。ナイフとドライバーと缶切りがあるぐらいだ。遠慮なくもらうことにした。

「お返しはその腕時計でもいいぞ」二郎の左腕を指差す。

「だめに決まってるだろう。これはアキラおじさんからもらったの」

　ついでに漁船を譲り受けたことも話した。二人が身を乗り出す。「おまえ、船のオーナーか」向井が尊敬の眼差《まなざ》しを向けるので自尊心が満たされた。

「これは、夏休みになったら絶対に遊びに行かないとな」

「おう、来てくれよ。手紙書くから」

「海で泳ぎたいなあ。おれ、もう三年ぐらい海に行ってねえよ」と淳。

「おれなんか親父が死んでから一度も」と向井。

「きれいな海だろうな」

「ああ、熱帯魚が泳いでたりしてな」

しばらく沖縄の話をした。もちろん、誰も行ったことがないので、すべて想像だ。沖縄行きと、級友との別れが、だんだん現実的になってきた。明日には千キロ以上、離れ離れになるのだ。

お祖母《ばあ》さんが今川焼きを差し入れてくれた。わざわざ買ってきてくれたみたいだ。

「ところで、今日、児童相談所で黒木に会ったぞ」二郎が頬張りながら言った。「話しかけてきたけど、無視してやった」

「冷たくするな。あいつは淋《さび》しがり屋なんだから」向井が眉《まゆ》を八の字にする。ともに母子家庭ということもあって、向井は黒木に同情的だ。

「ふざけるな。何度も裏切った男だぞ。カツの子分じゃないか」

「飯を奢《おご》られただけで懐くほど純情なんだよ」

「ちがうね。カツが怖いだけさ」

「そう言うな。最後だから電話ぐらいしてやれ。あいつ、本当は二郎のことが好きなんだよ」

好きだって？　冗談じゃない。ただ、別の考えも浮かんだ。「あばよ」と言いたくなったのだ。いくつか捨て台詞を言ってやるのもいい。黒木は、水商売の母親の元にいるしかない子供だ。このまま中野の中学に進んで、カツの後輩になるしかない運命だ。

二郎は電話を手にした。思いきり悔しがらせてやる――。

33

黒木は自宅アパートにいた。母親は水商売だから、一人でテレビでも見ていたのだろう。二郎が電話で引っ越すことを告げると、一瞬言葉に詰まり、そののち悪態をつき始めた。

「おまえの顔を見ないで済むのかと思うとせいせいする」「海で鮫《さめ》に食われて死ね」

予想はしていたことだが、ここまで喧嘩《けんか》腰《ごし》でくるとは思わなかったので、二郎もむきになって言い返した。

「おまえは一生カツの子分をやってろ」「水たまりで溺《おぼ》れて死ね」

横で聞いていた向井が、「おい、最後でそれはないだろう」と腕をつかむ。二郎はその手を払いのけ、「大人になったらチンピラか。明るい将来だな」と毒づいてやった。

「てめえ、これからおれと勝負しろ」黒木が低く凄《すご》む。

「ばーか。誰がおまえなんか相手にするか」

「三十秒で地面に這《は》いつくばらせてやる」

「耳が遠いのか。おまえなんか相手にしないって言ってるだろう」

「逃げるのか、腰抜け。おれが怖いのか」

「なんだと」かっとなった。「おれが今まで逃げたことがあるか」

「じゃあ決まったな。十分後にサンプラザの裏に来い」

「ふざけるな。おれは行かねえぞ」

「ハンディをくれてやる。左手だけで勝負してやるぞ」

「やなこったい」

「おーおー、いよいよ腰抜けだな。上原二郎は、中学生にいじめられるのがいやで南の島へ逃げましたって、みんなに宣伝しといてやるよ」いかにも小馬鹿にした口調で言った。

「なんだと――」思う壺《つぼ》だとわかっていても、どんどん顔が熱くなる。

「来いよ。待ってるからな」

奥歯を嚙《か》み締め、次の言葉を探しているうちに電話を切られた。「どうした」と二人に聞かれ、説明すると向井にいさめられた。

「放っておけ。あいつはそういう態度しかとれない男なんだよ。本心とはちがうことをつい言っちゃうんだよ」

「自転車、貸してくれ」二郎が立ち上がった。「最後に黒木をぶっ飛ばしてやる」

「やめとけって」淳も止めた。

逃げたと思われるのは、やはり屈辱だ。それに、最後にひと暴れしたい気分だった。

「いいや。飛ぶ鳥あとを濁さずって言うだろう」

「おい二郎、意味わかって言ってるのか？」向井が顔をしかめ、ズボンを引っ張った。

「大丈夫だ。絶対負けない」

「そういうことじゃなくて――」

二郎は部屋を出た。「おい、マジかよ」向井がため息混じりにつぶやいた。階段を降りると、二人があとをついてきた。


中野サンプラザの裏手に、黒木は待っていた。どういうつもりなのか、右腕を手拭《てぬぐ》いのようなもので体に縛り付けていた。自転車を片手で運転してやってきたらしい。

「なんだそれは。本当に左手だけでやるつもりなのか」黒木の人を馬鹿にした態度に、二郎はますます頭に来た。「こっちは遠慮しねえぞ」距離を詰め、正面から見据えた。

「相変わらず単純だな、おまえは」黒木が口の端を持ち上げて苦笑する。電話とはまるで口調がちがっていた。目つきも穏やかだ。「なんだ、向井と楠田も一緒か。だったらちょうどいいや。おまえらにも見物させてやる」

言っている意味がわからなかった。

「どういうことだ。包丁でも持ってるのか」

「だからちがうよ。おまえとはやらない。やるのはカツだ」

「あ？」

予想もしない台詞《せりふ》に二郎は絶句した。淳と向井も眉をひそめ、立ち尽くしている。

「これからカッの家に行くぞ。二郎、おまえが前に乗れ。おれはうしろだ」

「どうしてそういう話になるんだよ」

「おれをカッの子分だと思ったまま、おまえが西表島とやらに行くのは、癪《しゃく》に障るじゃねえか。だからおまえの見ている前でカッと決闘してやる。カッは右腕を骨折中だろ？　これは条件を合わせるためだ」

黒木が、縛り付けた右腕をぽんぽんと叩《たた》いた。顔から白い歯がこぼれた。

「だったら最初からそう言え！」二郎が怒鳴りつける。一転して別の感情が湧いてきた。うれしくなったのだ。

「ほら、行くぞ」

黒木に促され、自転車にまたがる。黒木はうしろに乗ると、体をくっつけてきた。整髪料の匂いがした。この気障《きざ》野郎、と思った。二郎は自転車を漕《こ》ぎ出した。

「おい、そろそろ子供は寝る時間だぞ」うしろからついてくる向井がのんびりした口調で言った。

二郎は笑った。黒木も笑っている。

「全員でやっちまうか」と淳。

「おれに任せろって」と黒木。

「怪我人が相手だと威勢がいいな」

「うるせえ。だからおれも片手で戦うって言ってるだろう」

黒木は怒らなかった。振り返ると、なにやら憑《つ》き物が落ちたような顔をしていた。今頃素直になるな——。二郎は心の中で文句を言っていた。もっと早くこうだったら、遊んでやったのに。

カッの家に向かって、狭い路地を縫うように走った。腕時計を見ると、すでに午後十時に近かった。警察官に見つかれば、間違いなく補導される時間だ。けれど大胆な気分になっていた。なんとでも言い訳できそうな気がする。だめなら逃げればいい。

資材置き場の隅にあるカッのプレハブ部屋は、青白い電気が灯《とも》っていた。窓のドクロマークは相変わらずだ。黒木は自転車を降りると、ひとつ深呼吸し、ゆっくりと歩き出した。砂利を踏みしめる音に気づいたのか、窓に人影が動く。二郎の喉《のど》がごくりと鳴った。

窓が開く。カッが顔をのぞかせた。右腕は三角巾《さんかくきん》で吊《つ》られている。

「おう、黒木か」低く声を発した。同時に二郎たちに気づき、表情を険しくした。「なんだ、てめえら」怒気を帯びた口調で、四人を順にねめまわす。

「カッさん、おれと軽く勝負してもらえませんか」

黒木が胸を反らして言った。覚悟を決めたな、そんな気配が二郎にも伝わる。いつもより手足が長く見えた。

「あ？　てめえ、寝ぼけてんのか。寝言なら布団の中で言えよ」

「大丈夫ですよ。こいつらは——」二郎たちを顎《あご》でしゃくった。「ただの見物人です。それに、こっちも左手一本でやらせてもらいますから。ほら、ちゃんと縛ってあるでしょ」

大人みたいな言葉を遣うんだな――。二郎はそんなことを思った。黒木は、本当に不良がさまになっている。

「馬鹿野郎。そんなもんで釣り合いがとれるか。こっちは石膏《せっこう》で固めてんだぞ。治ってから来い。だったら好きなだけ遊んでやる」

「そうもいかないんですよ。こっちも時間がなくて。ねえ、カツさん。相手してくださいよ。カツさん、いつも言ってるじゃないですか。喧嘩は明日に伸ばすなって」

「ナメんなよ、この小学生がァ」

カツが顔を紅潮させた。凶暴な中学生に姿を変える瞬間だ。もう見慣れたとはいえ、毎度心臓がひやりとする。窓を乗り越え、スリッパのまま外に出てきた。

「てめえも懲りねえ野郎だな。刃向かって、謝って、刃向かって、謝って。今度は許さねえぞ」

「大丈夫ですよ。謝りませんから」黒木が静かに言う。

カツがいっそう顔を赤くした。怒りがメーターを振り切った感じだ。左手をうしろに隠していた。暗くてよくわからないが、棒状のものを持っている。

「黒木、気をつけろ。なんか持ってるぞ」と二郎。

「わかってる。警棒だろう？　いつものことよ」

二人が向き合い、じりじりと間合いを詰めた。金属音がして、カツの手の警棒が五十センチ近くに伸びた。

「カツ、卑怯《ひきょう》だぞ」と二郎。

「うるせえ。大人に頼んだり、怪我人を襲ったり。そっちが言うことか」カツは地面を蹴《け》ると、警棒を振りかざし、黒木に襲いかかった。

頭に命中した。ひゅんと唸《うな》りを上げた警棒が、黒木の無防備な頭に正面から当たったのだ。

「何やってんだ、黒木」

二郎は目を覆った。黒木が、右腕を体に縛り付けていることを忘れて、その右手で庇《かば》おうとしたのだ。

だあーっ。心の中で叫んでいた。

黒木が頭を押さえてあとずさる。二郎は思わず駆け出した。

カツに体当たりした。右側からだったので、カツはうめき声をあげると右腕を押さえ、地面を転げ回った。苦痛に顔をゆがめている。

追いかけて蹴りをお見舞いした。カツが体をのけぞらせ、さらに転がる。二郎は自分のしたことに驚いた。

「おい上原。やめろ。おれの立場がないだろう」黒木が素《す》っ頓狂《とんきょう》な声で言った。

「わかったから、いいよ。黒木はカツの子分じゃないさ」

「そうはいくか。サシでやらねえと意味がないだろう」

「いいよ、もう」

肩の力が抜ける。なんだか、どうでもよくなってきた。カツなど正々堂々と戦う相手ではない。

二郎は倒れているカツのところへ行くと、警棒を取り上げ、「そっちが悪いんだぞ」と言った。

「最初に喧嘩を売ってきたのはそっちだし、こっちは正当防衛だからな」

「上原。骨がくっついたら、真っ先にてめえの腕を折りに行くからな」カツが荒い息を吐きながら言った。

「いいよ。いつでも来いよ。ただし、こっちは明日から西表島だから、飛行機代と船代が結構かかるけど」

カツが眉《まゆ》を寄せる。意味がわからないという顔をしていた。

「おれ、引っ越すんだよ。南の島へ。だからもう会うことはないと思う」

カツが体を起こす。歯を食いしばり、立ち上がった。

「この前、腕を折ったおじさん、憶《おぼ》えてるだろう？ あのおじさんは人を殺しちゃって刑務所に入るけど、仲間がこの近所にはいっぱいいるんだ。だから、なんかあったらまた頼むからな」

はったりを言った。脅しておかないと、淳や黒木が心配だ。

カツは無言で睨《にら》みつけるだけだった。少しは効いたのかもしれない。

「要するに、おれたちには、もうちょっかいを出してくれるなってことさ。そっちだって、年下相手に喧嘩《けんか》するなんて恰好《かっこ》悪いだろう」

言いながら、二郎は警棒を振ってみた。ひゅんひゅんという風を切る音がする。

カツと目が合った。カツが頬を軽くひきつらせた。急に残酷な気分になった。

二郎は、警棒をカツの額めがけて打ちつけた。

カツが左手で頭を押さえ、うずくまる。

「おい上原、おまえ何するんだ」黒木が目を丸くした。

「面倒くさいから、みんなでやっちゃうか」

かけ引きするのも億劫《おっくう》になった。どうせ、これが最後なのだ。泣いても、わめいても。

「なに言ってんだ。おまえは関係ないだろう」

「大ありだよ。おれ、何回殴られたと思ってんだよ」

「もういいだろう」カツが吐き捨てるように言った。「てめえらなんかうんざりだ。小学生のくせしやがって。普通、中学生に脅されたら引っ込むもんだろう。それを、何度も何度も刃向かってきやがって」

「そっちが一万円持ってこいとか、自転車で送り迎えしろとか、無茶なことばかり言うからだろう」

「うるせえ。最初にその一万でカタをつけるのが常識なんだよ。そうすりゃあ、勘弁してやったんだ」

「誰が払うか、そんなもん」

「だから、とっとと消えろって言ってんだよ。てめえらなんか目障りだ」

カツは顔を真っ赤にしていた。暗闇なのに、目が血走っているのまでわかった。屈辱を必死になって嚙《か》み殺している様子だ。

「だったら、バスケットボール、返してくれよ」うしろで淳が言った。

カツが目を吊《つ》り上げ、踵《きびす》をかえした。部屋に戻ると、淳のバスケットボールを窓から投げてよこした。砂利の上をぽんぽんと跳ね、淳のところまで転がった。窓が閉まる。カーテンも閉じられた。

「おい、引き上げようぜ」向井が言った。

「ああ、そうだな」

二郎は、警棒を夜空に放り投げた。バトンのようにくるくると回転し、舞い上がっていく。そのうしろには、月がぽっかり浮かんでいた。

明日の夜は、あの月を遠く離れた南の島で見るのだろう。それを思うと不思議な気がした。

「なんだよ、二郎。いいとこばっかり取りやがって」黒木が縛ってあった腕をほどき、自転車にまたがった。

「おれが出ていかなきゃ、おまえ、やられてたじゃないか」荷台に乗り、黒木の肩に手を置いた。

「馬鹿野郎。あのあと、おれ様のハイキックが、カツの横っ面に炸裂《さくれつ》するはずだったんだよ」

「言ってろ」黒木の脇腹をくすぐる。二人で笑う。

心が晴れ晴れとした。なにやら体が軽くなった感じだ。黒木も同様なのか、自転車をジグザグ運転した。ほかの二人も、顔をほころばせている。

カツをやっつけた――。体の奥底から、実感が込み上げてきた。震え上がっていたときのことを考えれば、奇跡のような結末だ。

最初の交差点で、向井と別れることになった。

「二郎、達者でな」

おまえ、白状しろ。本当は大人だろう――。心の中で問いかける。

「たまには電話をくれ。向こうのことを教えてくれ」

「おう。わかった」

向井は手を振って去っていった。しばらくその背中を見送る。たぶん、人生で味わう最初の親友との別れだ。

三人で路地を進んだ。黒木が家まで送ると言うので、頼むことにした。

続いて、淳との別れのときがやってきた。「楠田クリーニング」の前で自転車を停める。窓が開いておばさんが顔を出した。「淳、遅い。何時だと思ってるの」眉をひそめている。

「向井が悪いんです。引き止めるから」と二郎。向井のせいにしてやった。

「あんたが最後だから、早くお風呂《ふろ》に入りなさい」

「うん、わかった」淳がバスケットボールを抱え、勝手口へと駆けていく。「二郎。じゃあな」途中で一度振り返り、手を振った。「じゃあな」二郎も手を振り返す。

まるで、「また明日」とでも言わんばかりの別れだ。

あまりの素っ気なさに拍子抜けした。まあ、いいか、淳らしくて。芝居がかったことを言われたら、こっちだって赤面してしまいそうだ。

いちばん長く時間を過ごしたのが、淳だった。幼稚園の頃から、毎日一緒に遊んだ。学校でも、家でも。持っている服も、読んだ漫画も、テストの点数も、お互い全部知っている。

「おい、二郎」

淳の声だ。振り向くと、窓から顔を出していた。

「おれにも電話、くれよな」

「わかった」

「いいから、早くお風呂に入りなさい」おばさんのとがった声が奥から聞こえ、淳が顔を引っ込めた。廊下を走る音がする。

温かい気持ちになった。別れは、淋《さび》しいことではない。出会えた結果のゴールだ。

再び走り出す。「いいなあ、上原は。南の島に行けて」黒木が、ため息混じりに言った。

「観光旅行じゃないぞ。そこで暮らすんだぞ」

「こんな国、さっさと脱出してやる」と言っていた。

「よけいにうらやましい」

その言葉を聞いて思い出した。以前、江ノ島まで二人で逃げたとき、黒木は「こんな国、さっさと脱出してやる」と言っていた。

「家出するなら、うちに来い」二郎が言った。

「おう。手紙でも電話でも、なんでもいいからくれ」

「前に江ノ島まで行ったの、面白かったな」

「面白かった。四回、家出したけど、あれがいちばん面白かった」

思い出し、吐息をつく。初めて、無防備な黒木と話した気がした。神経を張りつめていない、穏やかな黒木がここにいる。

黒木はどういう大人になるのだろう。見た目がいいから、映画スターにでもなったりして。案外、平凡な工員とか、店員とか、運転手かもしれないが。

自宅にはあっという間に到着した。自転車を降り、黒木の背中を叩《たた》く。

「じゃあな」

「ああ、元気でな」軽く手を挙げ、夜道に消えていく。

淳以上にあっさりとした別れだった。でも、悪くなかった。センチになるのは、いつも大人たちだ。子供には、過去より未来の方が遥《はる》かに大きい。センチになる暇はない。

二郎に心残りはなかった。今夜、みんなと会えただけで満足だ。

長い一日だったな。玄関前にたたずみ、ひとりごちる。この町ともお別れか――。軽く深呼吸し、周囲を見回す。いいや、いつか帰って来られる。あと六、七年もすれば、一人でどこにでも行けるようになるのだ。

もうすぐ十二歳になる。そろそろ、子供じゃない。体が変わっていくのが、意識できる。人生の最初の扉が開こうとしているのが、実感としてわかる。

二郎は、東京の夜空に向かって背伸びした。グンと手が伸び、星に届きそうな錯覚をおぼえた。

明日は、沖縄だ。新しい世界に、自分は足を踏み入れるのだ。

（下巻へつづく）

《主要参考文献》

「全共闘」茜三郎　柴田弘美著　河出書房新社
「蜂起には至らず　新左翼死人列伝」小嵐九八郎著　講談社
「連合赤軍少年A」加藤倫教著　新潮社
「新版　沖縄県の歴史散歩」沖縄歴史研究会編　山川出版社
「八重山歴史読本」中田龍介編　南山舎
「村が語る沖縄の歴史　歴博フォーラム『再発見・八重山の村』の記録」
国立歴史民俗博物館編　新人物往来社
「沖縄離島物語　西表島に住んで」丸杉孝之助著　古今書院
「琉球の伝承文化を歩く2　西表島・黒島・波照間島の伝説・昔話」
狩俣恵一　丸山顕徳編　三弥井書店
「八重山列島釣り日記　石垣島に暮らした1500日」高橋敬一著　随想舎
「イリオモテ島　原色のパラダイス」横塚眞己人著　新日本教育図書
「西表島の巨大なマメと不思議な歌」盛口満著　どうぶつ社
「西表方言集」前大用安著・発行
「八重山生活誌」宮城文著　沖縄タイムス社
「南風よ吹け　オヤケ・アカハチ物語」文・新川明　絵・儀間比呂志　琉球新報社

本書は、二〇〇五年六月に小社より刊行された単行本『サウスバウンド』を分冊して文庫化したものです。

本作品はフィクションであり、実在のいかなる組織・個人とも一切関わりのないことを付記いたします。

（編集部）

サウスバウンド　上

奥《おく》田《だ》英《ひで》朗《お》

角川文庫　14804

平成十九年八月三十一日　初版発行

発行者―井上伸一郎
発行所―株式会社角川書店
東京都千代田区富士見二―十三―三
電話・編集（〇三）三二三八―八五五五
〒一〇二―八〇七八

発売元―株式会社角川グループパブリッシング
東京都千代田区富士見二―十三―三
電話・営業（〇三）三二三八―八五二一
〒一〇二―八一七七
http://www.kadokawa.co.jp

印刷所―暁印刷　製本所―ＢＢＣ
装幀者―杉浦康平

お 56-1　ISBN978-4-04-386001-2　C0193

角川文庫発刊に際して

角　川　源　義

第二次世界大戦の敗北は、軍事力の敗北であった以上に、私たちの若い文化力の敗退であった。私たちの文化が戦争に対して如何に無力であり、単なるあだ花に過ぎなかったかを、私たちは身を以て体験し痛感した。西洋近代文化の摂取にとって、明治以後八十年の歳月は決して短かすぎたとは言えない。にもかかわらず、近代文化の伝統を確立し、自由な批判と柔軟な良識に富む文化層として自らを形成することに私たちは失敗して来た。そしてこれは、各層への文化の普及滲透を任務とする出版人の責任でもあった。

一九四五年以来、私たちは再び振出しに戻り、第一歩から踏み出すことを余儀なくされた。これは大きな不幸ではあるが、反面、これまでの混沌・未熟・歪曲の中にあった我が国の文化に秩序と確たる基礎を齎らすためには絶好の機会でもある。角川書店は、このような祖国の文化的危機にあたり、微力をも顧みず再建の礎石たるべき抱負と決意とをもって出発したが、ここに創立以来の念願を果すべく角川文庫を発刊する。これまで刊行されたあらゆる全集叢書文庫類の長所と短所とを検討し、古今東西の不朽の典籍を、良心的編集のもとに、廉価に、そして書架にふさわしい美本として、多くのひとびとに提供しようとする。しかし私たちは徒らに百科全書的な知識のジレッタントを作ることを目的とせず、あくまで祖国の文化に秩序と再建への道を示し、この文庫を角川書店の栄ある事業として、今後永久に継続発展せしめ、学芸と教養との殿堂として大成せんことを期したい。多くの読書子の愛情ある忠言と支持とによって、この希望と抱負とを完遂せしめられんことを願う。

一九四九年五月三日

角川文庫ベストセラー

ユリイカ　EUREKA　青山真治

バスジャックに遭遇した運転手沢井は、ともに生き残った乗客の兄妹と心の再生の旅に出るが…。三島由紀夫賞受賞。〈解説：金井美恵子〉

死者の学園祭　赤川次郎

立入禁止の教室を探検する三人の女子高生。彼女たちは背後の視線に気づかない。そして、一人一人、この世から消えていく……。傑作学園ミステリー。

人形たちの椅子　赤川次郎

工場閉鎖に抗議していた組合員の姿が消えた。疑問を持った平凡なOLが、仕事と恋に揺れながらも、会社という組織に挑む痛快ミステリー。

素直な狂気　赤川次郎

借りた電車賃を返そうとする若者。それを受け取ると自らの犯行アリバイが崩れてしまう……。日常に潜むミステリーを描いた傑作、全六編。

輪舞《ロンド》―恋と死のゲーム―　赤川次郎

様々な喜びと哀しみを秘めた人間たちの、出逢いやすれ違いから生まれる愛と恋の輪舞《ロンド》。オムニバス形式でつづるラヴ・ミステリー。

眠りを殺した少女　赤川次郎

正当防衛で人を殺してしまった女子高生。誰にも言えず苦しむ彼女のまわりに奇怪な出来事が続発、事件は思わぬ方向へとまわりはじめる……。

殺人よ、さようなら　赤川次郎

殺人事件発生！　私とそっくりの少女が目の前で殺された。そして次々と届けられる奇怪なメッセージ。誰かが私の命を狙っている……？

角川文庫ベストセラー

やさしい季節(上)(下)　赤川次郎

トップアイドルへの道を進むゆかりと、実力派の役者を目指す邦子。タイプの違う二人だが、昔からの親友同士だった。芸能界を舞台に描く青春小説。

禁じられた過去　赤川次郎

経営コンサルタント・山上の前にかっての恋人・美沙が現れた。「私の恋人を助けて」。美沙のため奔走する山上に、次々事件が襲いかかる！

M と N 探偵局
夜に向って撃て　赤川次郎

女子高生・間近紀子（M）は、硝煙の匂い漂うOLに出会う。一方、「ギャングの親分」野田（N）の愛人が狙われて……。MNコンビ危機一髪!!

三毛猫ホームズの家出　赤川次郎

珍しくホームズを連れて食事に出た、石津と晴美。帰り道、見知らぬ少女にホームズがついていってしまった！　まさか、家出!?

おとなりも名探偵　赤川次郎

〈三毛猫ホームズ〉、〈天使と悪魔〉、〈三姉妹探偵団〉、〈幽霊〉、〈マザコン刑事〉。あのシリーズの名探偵達が一冊に大集合！

キャンパスは深夜営業　赤川次郎

女子大生、知香には恋人も知らない秘密が。そう、彼女は「大泥棒の親分」なのだ！　そんな知香が学部長選挙をめぐる殺人事件に巻きこまれ……。

冒険配達ノート
ふまじめな天使　赤川次郎　絵・永田智子

いそがしくて足元ばかり見ている人たち。うつむいている君。上を向いて歩いてごらん！　いつまでも夢を失わない人へ……愛と冒険の物語。

角川文庫ベストセラー

ダリの繭《まゆ》　有栖川有栖

ダリの心酔者である宝石会社社長が殺され、死体から何故かトレードマークのダリ髭が消えていた。有栖川と火村がダイイングメッセージに挑む！

海のある奈良に死す　有栖川有栖

〝海のある奈良〟と称される古都・小浜で、作家有栖川の友人が死体で発見された。有栖川は火村とともに調査を開始するが…!?　名コンビの大活躍。

朱色の研究　有栖川有栖

火村は教え子の依頼を受け、有栖川と共に二年前の未解決殺人事件の解明に乗り出すが…。現代のホームズ&ワトソンによる本格ミステリの金字塔。

ジュリエットの悲鳴　有栖川有栖

人気絶頂のロックバンドの歌に忍び込む謎めいた女の悲鳴。そこに秘められた悲劇とは…。表題作はじめ十二作品を収録した傑作ミステリ短編集！

有栖川有栖の本格ミステリ・ライブラリー　有栖川有栖編

有栖川有栖が秘密の書庫を大公開！　幻の名作ミステリ漫画、つのだじろう「金色犬」をはじめ入手困難な名作ミステリがこの一冊に！

落下する夕方　江國香織

別れた恋人の新しい恋人との突然の同居。いとおしい彼は、新しい恋人に会いにうちにやってくる…。新世代の空気感溢れる、リリカル・ストーリー。

泣かない子供　江國香織

子供から少女へ、少女から女へ…時を飛び越えて浮かんでは留まる遠近の記憶…。いとおしく、かけがえのない時間を綴ったエッセイ集。

角川文庫ベストセラー

パイロットフィッシュ　大崎善生

出会いと別れの切なさと、人間が生み出す感情の永遠を、透明感溢れる文体で綴った至高のロングセラー青春小説。吉川英治文学新人賞受賞作。

アジアンタムブルー　大崎善生

愛する人が死を前にした時、人は何ができるのだろう——。最後の時を南仏ニースで過ごそうと旅立った二人。慟哭の恋愛小説。映画化作品。

800　川島誠

まったく対照的な二人の高校生が800mを走り、競い、恋をする——。型破りにエネルギッシュなノンストップ青春小説！（解説・江國香織）

セカンド・ショット　川島誠

淡い初恋が衝撃的なラストを迎える幻の名作「電話がなっている」をはじめ、思春期の少年がもつ素直な感情が鏤められたナイン・ストーリーズ。

もういちど走り出そう　川島誠

インターハイ三位の実力を持つ元400mハードル選手が順調な人生の半ばで出逢った挫折と再生を、繊細にほろ苦く描いた感動作。（解説・重松清）

覆面作家は二人いる　北村薫

姓は《覆面》、名は《作家》。二つの顔を持つ新人作家が日常に潜む謎を鮮やかに解き明かす——弱冠19歳のお嬢様名探偵、誕生！

覆面作家の愛の歌　北村薫

きっかけは、春のお菓子。梅雨入り時のスナップ写真。そして新年のシェークスピア…。三つの季節の、三つの謎を解く、天国的美貌のお嬢様探偵。

角川文庫ベストセラー

覆面作家の夢の家　北村　薫

「覆面作家」こと新妻千秋さんは、実は数々の謎を解いてきたお嬢様探偵。今回はドールハウスで起きた小さな殺人に秘められた謎に取り組むが…⁉

北村薫の本格ミステリ・ライブラリー　北村　薫編

北村薫が贈る本格ミステリの数々！　名作クリスチアナ・ブランド「ジェミニー・クリケット事件（アメリカ版）」などあなたの知らない物語がここに！

冬のオペラ　北村　薫

名探偵に御用でしたら、こちらで承っております。真実が見えてしまう名探偵・巫弓彦と記録者であるわたしが出逢う哀しい三つの事件。

嗤《わら》う伊右衛門《いえもん》　京極夏彦

古典『東海道四谷怪談』を下敷きに、お岩と伊右衛門夫婦の物語を、怪しく美しく、新たに蘇らせた、傑作怪談。第二十五回泉鏡花文学賞受賞作。

巷説百物語　京極夏彦

舌先三寸の甘言で、八方丸くおさめてしまう小股潜りの又市や、山猫廻しのおぎん、考物の山岡百介が活躍する江戸妖怪時代小説シリーズ第1弾。

続巷説百物語　京極夏彦

凶悪な事件の横行でお取りつぶしの危機にある北林藩で、又市の壮大な仕掛けが動き出す。妖怪仕掛けが冴え渡る人気シリーズ第2弾。

後巷説百物語　京極夏彦

明治十年。事件の解決を相談された百介は、又市たちとの仕掛けの数々を語りだす。懐かしい鈴の音の思い出とともに。第１３０回直木賞受賞作!!

角川文庫ベストセラー

木更津キャッツアイ　宮藤官九郎
余命半年を宣告されたぶっさんは、バンビ、マスター、アニ、うっちーと昼は野球とバンド、夜は怪盗団を結成。木更津を舞台にした伝説の連ドラ。

河原官九郎　宮藤官九郎　河原雅彦
河原雅彦と宮藤官九郎が「演劇ぶっく」誌上で「デート」「バイト」「トライ」した連載、年表、活動記録、対談等を収録した伝説の書の文庫化。

宮藤官九郎脚本
池袋ウエストゲートパーク　宮藤官九郎
池袋西口公園（I.W.G.P.）を舞台にした路上ドラマの傑作。石田衣良・原作、宮藤官九郎連ドラデビュー作。SP「スープの回」収録の完全版。

ロケット★ボーイ　宮藤官九郎
銀河ツーリスト勤務の小林、広告代理店勤務の田中、食品メーカー勤務の鈴木は、三十一歳にして、人生の軌道修正を考える。初の連ドラオリジナル。

木更津キャッツアイ
日本シリーズ　宮藤官九郎
宣告から半年がすぎても普通に生き延びるぶっさん。オジーが黄泉がえったり、ロックフェスが企画されたり、恋におちたり。奇跡の映画化脚本集。

タイ怪人紀行　ゲッツ板谷　鴨志田　穣＝写真　西原理恵子＝絵
勢いのみで突き進む男、ゲッツ板谷がタイで繰り広げる大騒動！　次から次へと出現する恐るべき怪人たちとの爆笑エピソード満載の旅行記!!

ベトナム怪人紀行　ゲッツ板谷　鴨志田穣＝写真　西原理恵子＝絵
「みんなのアニキ」ゲッツ板谷の今度のターゲットは〝絶対に降参しない国〟ベトナム。またもや繰り広げられる怪人達とのタイマン勝負！